Qu'est-ce que la collection communication *visuelle* ?

La collection *Communication visuelle* vise à combler une lacune importante dans le monde de l'édition francophone. En effet, ceux et celles qui s'intéressent à la communication visuelle, qu'ils soient professionnels ou amateurs, ne parviennent pas à trouver d'ouvrages contemporains traitant de ce sujet passionnant. Il existe bien çà et là quelques titres en circulation, américains pour la plupart, mais autrement, c'est le désert.

La collection *Communication visuelle* regroupera une variété de titres couvrant tous les aspects principaux de la communication visuelle. Nous n'avons pas fait d'inventaire complet des titres qui pourraient être produits ; nous nous sommes plutôt laissé guider au gré de la disponibilité d'auteurs compétents pouvant traiter des sujets les plus chauds.

La collection fait appel à des spécialistes d'ici qui cherchent à mettre en valeur l'expertise d'ici : procédés, œuvres, maîtres, etc.

Le langage utilisé n'a rien d'hermétique, le ton est dynamique, l'information est concrète. Bref, la collection *Communication visuelle* se promet de devenir une petite encyclopédie indispensable à tous ceux et celles qui s'intéressent à la communication par l'image.

**L'IDÉATION
PUBLICITAIRE**

Les Éditions Transcontinental inc.
1253, rue de Condé
Montréal (Québec)   H3K 2E4
Tél. : (514) 925-4993
        (888) 933-9884

Données de catalogage avant publication (Canada)
Déry. René (1961-   )
L'idéation publicitaire
(Collection *Communication visuelle*)
ISBN 2-89472-021-1

1. Publicité. 2. Art publicitaire. 3. Messages publicitaires
I. Titre. II. Collection.

HF5823.D467 1997   659.1   C97-940488-6

MISE EN GARDE

*Il est interdit de reproduire ce livre
ou une partie de ce livre sans
consentement écrit, auquel cas
on mentionnera explicitement
la source d'origine. Cet ouvrage
est protégé par les lois relatives
au droit d'auteur; les contrevenants
sont passibles de poursuites
judiciaires pour violation de copyright.*

Révision et correction :
Francine Paré, Louise Dufour
Mise en pages et conception de la couverture :
Le Studio Graphiskor (Université Laval)

© Les Éditions Transcontinental inc., 1997
© Claude Cossette, 1997 (images)

Dépôt légal : 3e trimestre 1997
Bibliothèque nationale du Québec
Bibliothèque nationale du Canada
ISBN 2-89472-021-1

RENÉ DÉRY

L'idéation pub
LICITAIRE

VOLUME 2

Collection Communication visuelle
Sous la direction de Claude Cossette

**Les Éditions
TRANSCONTINENTAL inc.**

À Guylaine et Sarah,

ainsi qu'à tous mes proches.

Remerciements

Un merci appuyé à ceux et celles qui ont permis d'enrichir la banque d'exemples présentés à l'intérieur de cet ouvrage :

Françoise Bédard et **Maurice Leclerc,** du Bureau de commercialisation des quotidiens (BCQ), **Lyse George** et **Hélène Bissonnette,** anciennement du Bureau de commercialisation de la radio du Québec (BCRQ), **Richard Bélanger,** anciennement de *L'actualité*, **Richard Genin, Lise Groleau** et **Jim Quance,** du Bureau de la télévision (TVB), **Renaud Francœur** de TQS, **Gilles Vachon** de Médiacom, **René Ducharme** de Omni, **Denys Durocher** de MétroMédia Plus, **Brigitte Boily,** de regrettée mémoire, d'Urbanoscope, **Carl Grenier** et **Guy Fortin** de Zoom Média.

Un merci particulier à **Claudia Watters** pour son assistance. Un merci coloré à mes anciens collègues de CITF Rock-Détente; à mes anciens collègues de chez Dialogue puis de chez Olive Communication; enfin à mes anciens collègues de chez Publicité MBS. Un merci attentionné à mes nouveaux collègues de chez Marketel, pour l'humanité dans la mondialité.

Merci aussi à **Francis Masse,** professionnel superviseur du Studio Graphiskor, à **Sylvie Laroche** qui a assuré la coordination de l'équipe d'étudiants en communication visuelle de l'Université Laval et à **Ian Saint-Louis** qui a réalisé le montage infographique du présent ouvrage. Sans leur généreuse collaboration, la publication d'un ouvrage d'une telle facture aurait été impossible au Québec.

Enfin, un merci au carré à **Claude Cossette,** pour son esprit de pointe, son leadership et sa créativité, qui animent autant le publicitaire, le chercheur, le professeur et l'homme. Merci d'avoir amorcé ce projet. Merci de ton amitié.

René Déry

Nous voulons également souligner la contribution de **Francis Masse** qui a agi avec compétence et doigté comme chef de la production, conseiller et ami, ainsi que la confiance indéfectible de notre éditeur, **Sylvain Bédard,** des Éditions Transcontinental, qui a cru en ce projet, une première au Québec.

Claude Cossette

Hommage

« L'originalité existe
dans chaque individu
parce qu'on est tous différents
les uns des autres : on est tous
un nombre premier
divisible seulement par
soi-même. »

Jean Guitton
philosophe français

L'enfant prodigue de la publicité

À quelques flashes de l'an 2000, le domaine des communications a largement évolué. Lui aussi.

Jadis (il y a seulement 10 ou 15 ans!), la notoriété d'un annonceur et l'impact créatif des campagnes de publicité étaient probablement les considérations les plus importantes du mix communicationnel. Le consommateur de cette époque affichait positivement son statut en s'identifiant à des marques et aux symboles sociaux véhiculés par celles-ci. La virilité et la puissance sexuelle d'une Corvette. Le côté in d'un pull Lacoste ou d'une paire d'Adidas Gazelle. La joie de vivre quand on boit un bon Coke. Le caractère quand on préfère une Molson. Et ainsi de suite. L'idéation publicitaire avait libre cours : peu de contraintes stratégiques, peu de contraintes budgétaires.

Depuis les années 1990 cependant, l'économie s'est faite économe. Avec l'escalade de l'endettement, avec l'insécurité par rapport à leur emploi, leur santé et leur avenir, les consommateurs se sont repliés vers des attitudes moins exubérantes. Le volume de consommation a globalement diminué. La force des images de marque s'est quelque peu affaissée au profit de la variable «prix».

Résultat : la publicité traditionnelle s'est vue crucifiée et de nouveaux propos ont monopolisé le discours. D'abord, la nécessité de mettre plus d'accent sur le volet stratégique préalable aux communications : avant de créer une annonce, sommes-nous certains de la définition de la clientèle à rejoindre, de la valeur de l'offre de notre produit et de l'articulation média ? La volonté de mieux connaître les habitudes de vie des consommateurs a d'ailleurs provoqué une révolution en soi, un mode de communication appelé «marketing direct», où l'éclat créatif cède la place à une information plus précise, plus factuelle, plus relation-nelle. Malgré les remue-ménage sociaux qui ont bouleversé le cheminement

*publicitaire, l'idéation a néanmoins conservé un rôle de premier plan.
Et pour s'assurer que ses artisans soient sensibles aux considérations
stratégiques, il est désormais coutume, dans un certain nombre d'agences
de publicité, de voir les idéateurs en contact plus étroit avec la réalité des
annonceurs. Ainsi, ils participent à l'échange d'information initial* (briefing)
*entre l'annonceur et l'agence, et ils prennent par la suite une part active
au processus global de planification stratégique. Bref, ils ne sont plus
les exécutants en bout de piste, mais font plutôt partie des piliers sur lesquels
repose toute l'opération.*

*On pourrait argumenter, et sans doute à raison, que le choix et l'utilisation
des médias occupent une position clé sur l'échiquier des communications,
voire la position. D'abord, 70 % et plus des budgets publicitaires sont alloués
à l'action des médias, dont l'importance va bien au-delà de la simple diffusion
du message. En fait, un plan média vise à répondre d'une façon tangible aux
occasions et aux problématiques de marketing inhérentes au produit ou au
service à annoncer. D'autre part, la relation qui unit un média à un consommateur devrait toujours influencer le discours créatif. Tout comme la façon
de communiquer un message devrait tenir compte de l'environnement média.*

*Il n'en demeure pas moins que l'idéation publicitaire, communément
appelée la création, constitue le produit le plus palpable de l'intervention des
agences ou des consultants en communication-marketing, le fruit que les
consommateurs croqueront ou ne croqueront pas. L'articulation stratégique
et l'articulation média, quant à elles, sont des châteaux forts à l'intérieur des
plans de communication (documents qui circulent en vase clos de l'agence à
l'annonceur), mais des réalités bien abstraites aux yeux des consommateurs.*

*Au cœur même de l'industrie publicitaire, avouons que le fruit n'a jamais
été défendu. Une tranche visible du contenu rédactionnel des périodiques
spécialisés en marketing et en publicité est dévolue à la création. Et que dire
des conversations informelles dans les 5 à 7 publicitaires ? On trouve cette
campagne géniale. On démolit telle autre à cause de son « exécution pizza » ou
de son vide créatif.*

Alors que le processus stratégique est perçu comme un sujet froid, relativement intellectuel, l'idéation donne place à mille et un commentaires enflammés, dont plus de la moitié sont totalement subjectifs !

Combien existe-t-il de concours publicitaires honorant l'excellence d'une stratégie média ou le brio stratégique d'une campagne ? Une minorité à peine visible, malheureusement. Par contre, comment assister à tous les concours publicitaires qui adulent le pouvoir créatif des campagnes ? En se dotant au p.c. (je veux dire : au pas de course) d'une carte Air Miles, d'un abonnement chez Berlitz, d'un estomac de plomb et d'un agenda surdimensionné.

Le présent ouvrage tente de démystifier l'univers tabou et magique de l'idéation publicitaire. Celui-là même qui compte 50 % du personnel des agences de publicité et qui fait miroiter les plus excitantes promesses salariales dans le domaine. Ce monde envoûtant, qui a inspiré bon nombre de longs métrages et de séries à la télévision, dont une naguère animée par l'ex-maire de Montréal Jean Doré, et une plus récente dirigée par Rémy Girard, cercueil !

R. D.

TABLE DES MATIÈRES

*LA CRÉATION, DU
MACROSCOPE AU
MICROSCOPE*

Le texte qui suit résume ce qu'est l'idéation publicitaire. Il explique les qualités
d'une bonne idée, décrit le processus
d'idéation, énumère les dons du créateur,
détaille les techniques auxquelles il fait
appel et liste ses sources d'inspiration.

**PARTIE
1**

PLUS GRIS QUE GRIS,
OU LA DÉFINITION D'UNE BONNE IDÉE

Qu'est-ce qu'une bonne création publicitaire?

Est-ce une idée qui séduit la majorité des artisans de l'industrie, par son approche, par son audace, par son exécution différente, bref, une idée susceptible de remporter les concours?

Ou est-ce une idée qui véhicule efficacement l'objectif de communication poursuivi, peu importe sa reconnaissance au cœur de l'industrie ou sa performance devant un jury composé de créateurs publicitaires?

Voilà une question vieille comme le monde... de la pub. Une question qui scie pratiquement en deux le milieu. Pendant que certaines agences jurent qu'une bonne idée doit se démarquer et surprendre, point à la ligne, d'autres croient dur comme fer que l'efficacité de la communication (niveau de rétention des messages, ventes enregistrées, ou autre) demeure le seul juge de la valeur d'une idée. Ce perpétuel débat se traduit non seulement par la différence des philosophies d'agence, mais aussi par le va-et-vient constant des créateurs d'une agence à l'autre. Pourquoi bûcherait-on pour une organisation qui ne partage pas sa vision personnelle de la création publicitaire? Question importante et émotive! Examinons sur quels aspects les deux camps fondent leur idéologie.

Faut se distinguer!

Les idéateurs et les agences de publicité du premier groupe croient que le succès réside dans l'originalité de l'idée et de son exécution. Selon eux, les consommateurs sont blasés, les médias saturés. Puisque les gens ont mille et une préoccupations existentielles autres que l'achat de produits, puisqu'ils sont plus ou moins réceptifs à la pub malgré son omniprésence, il est essentiel que la création publicitaire frappe fort, capte l'attention, brise la barrière de l'indifférence. Voilà, de prime abord, l'essence de leur vision. Et dans cette quête de distinction, les créateurs refusent souvent de voir un quelconque processus systématique d'idéation : «Une idée est comme un puits de lumière; on ne sait pas comment y arriver, mais lorsqu'on l'a atteint, ça se voit.»

Pour les partisans de ce clan, l'idéation publicitaire règne en maître. À leurs yeux, elle dicte le choix des médias, pesant plus lourd dans la balance que les considérations analytiques sur l'auditoire. Elle peut même imposer *a posteriori* les stratégies, une fois l'idée-choc trouvée. Enfin, et assurément, l'idéation pure guide le jugement dans la plupart des concours publicitaires. Lorsqu'une création est différente, innovatrice, authentique dans sa réalisation, elle réunit souvent tous les critères pour mériter un prix.

Méchante! Avec un titre aussi fort, rehaussé par une mise en page aérée à souhait, point n'est besoin de visuel. L'exception qui confirme la règle.

Faut communiquer!

La seconde école de pensée sur l'idéation ne jure que par l'efficacité potentielle de celle-ci, en tentant de se rattacher à du rationnel. «Les études démontrent que la photographie est supérieure à l'illustration en matière d'attention.» «Les études démontrent que l'humour vend moins.» «Les études démontrent que les quotidiens sont le média le plus consulté par les consommateurs en quête de produits financiers.»

Les tenants de cette philosophie respectent comme des dieux les vertus de la stratégie. Ils voient dans chaque réalisation la manifestation d'une réflexion plutôt que l'expression d'une trouvaille opportune. Pas surprenant de voir qu'ils prônent un produit créatif découlant directement de recherches et d'analyses.

Pas surprenant non plus qu'ils tiennent à ce que le bénéfice consommateur soit évoqué clairement et rapidement à l'intérieur du message. Ils viseront par exemple à ce que l'avantage clé du produit soit exprimé dans le titre de l'annonce. Ils recommanderont que le nom de l'annonceur apparaisse tôt : soit dans le titre ou le sous-titre s'il s'agit d'une annonce imprimée, soit dans les 10 premières secondes du message s'il s'agit de télévision ou de radio. Qui pourrait les blâmer? La plupart des études (oui, encore les études!) ont conclu que moins de 25 % gens lisaient les textes publicitaires. Les études ont également montré que l'humour augmentait la valeur d'attention d'un message, mais diminuait sa valeur de persuasion. Et ainsi de suite.

Les créateurs rationnels, oh! pardon, ceux inspirés par une volonté d'efficacité, veillent donc mordicus à ce que leur conception soit de prime abord compréhensible par la cible visée. Ils évitent également tout sujet de distraction qui résulte en vampirisme publicitaire (autrement dit : tout élément conceptuel si évocateur qu'on ne retient que lui). Par exemple, de somptueux chatons persans dans un message de papier hygiénique (qui est l'annonceur déjà?), l'humour débridé d'André-Philippe «Allez, hop cascade!» Gagnon lors d'une ex-campagne de GM. Et ainsi de suite.

Il n'y a pas si longtemps, les concepteurs de ce type rejetaient d'emblée les concours de création publicitaire, n'acceptant pas que les critères de distinction et d'audace constituent les barèmes ultimes. Depuis quelques années cependant, certains concours publicitaires tels les Cassies (Canadian Advertising Success Stories) honorent enfin l'efficacité des campagnes en matière de persuasion et de ventes.

Épuration et contraste. Le titre qui incorpore le logo en trois dimensions réussit en un seul mot à associer le produit à son positionnement.

Qui dit vrai ?

Bien malin qui propose une solution unique dans notre société moderne où le pluralisme fait loi. Et bien malin celui qui ne croit qu'en une seule vision de la publicité, alors que la créativité est justement l'endroit où peuvent se chevaucher des pensées antagonistes. Surtout que les avocats de la défense, tout comme ceux de la couronne, ont fouillé le dossier.

Les élèves de la créativité à tout prix prônent souvent l'usage d'une communication au second degré, à savoir une construction qui ne communique pas la réalité, mais plutôt une satisfaction ou une mise en scène résultant de cette réalité. Si l'objectif est atteint, le résultat apparaîtra plus fort, plus convaincant et plus sympathique que l'approche directe, surtout si la teneur du message est mince. Voilà qui est vrai. Pendant ce temps, les tenants de l'efficacité s'interdisent justement l'usage d'une communication au second degré, de peur que le message soit incompris, déconnecté, ridicule, bref, inefficace. Voilà qui est vrai aussi.

Si l'on tentait de baliser les cas où l'on doit privilégier une approche plutôt qu'une autre ? On dit souvent que les produits à saveur très personnelle, les produits financiers, de même que les biens ou les services dispendieux se vendent mieux lorsque leur approche communicationnelle reste directe. Chlak ! On entend également qu'il est sage de considérer le cv des cibles dans la construction des concepts : on ne parle pas à des détenteurs de doctorats comme on s'adresse à monsieur Tout-le-monde. Mais peut-on généraliser aussi simplement ?

Visons résolument une idéation distinctive et percutante, qui recherche néanmoins l'efficacité en fonction des cibles et des objectifs poursuivis.

1

Une belle italienne qui parle, parle, parle. Elle arrête soudain son verbiage, l'espace de quelques instants, pour mieux goûter à la recette de McDonald's. Brillante façon de communiquer le bénéfice du produit, histoire télévisée à l'appui.

2

Concept développé sur mesure pour le réseau restos-bars de Zoom Média. Le choix des mots et la production graphique inventive cimentent un message hautement percutant.

LES QUALITÉS QU'ON ATTEND D'UNE BONNE IDÉE

Peu importe la philosophie créative retenue, la qualité première d'une idée publicitaire devrait être de livrer efficacement le positionnement et l'axe de communication établis.

L'idée publicitaire doit non seulement faire ressortir cette notion clé, elle doit la transcender. Jean-Marie Dru, publicitaire et auteur français, a baptisé «saut créatif» le processus de réflexion consistant à trouver un angle pour formuler de manière optimale le message bien identifié par l'axe, le positionnement et l'objectif de communication poursuivis. S'il est facile – et banal! – de dire qu'une voiture est économique en consommation d'essence, il apparaît beaucoup plus efficace – et créateur! – de comparer cette voiture à un chameau. Le bénéfice prend des ailes, sans cabosser la compréhension du message.

Affirmer que la qualité première d'une idée est d'optimiser l'objectif de communication va cependant à l'encontre du préjugé courant selon lequel la capacité d'attirer l'attention est la vertu essentielle d'une annonce. Mais à quoi servirait une campagne qui capte l'attention si les gens n'y voient que du feu et n'y associent pas l'axe publicitaire souhaité?

Avoir un caractère innovateur et surprenant

Imaginons un instant que tous les messages publicitaires empruntent la même démarche, par exemple une approche directe dont le titre serait la mention explicite de l'axe («Crest combat la carie»). Ouf, quel encombrement pour la consommation et les consommateurs! Si on prend 10 douches consécutives à l'eau tiède, laquelle d'entre elles procurera des bénéfices dignes de mention? Aucune. À moins qu'une soit plus chaude ou plus froide que les autres, bref, qu'elle se distingue de l'environnement.

Les concepteurs publicitaires ont souvent l'impression que tout a été fait et dit. Il est en effet probable que la liste théorique des axes et des positionnements ne soit pas illimitée : un produit ou un service épargne du temps, de l'argent, dure plus longtemps, est plus performant, plus valorisant, à la fine pointe de la technologie, etc. L'énumération atteint déjà la saturation. Le défi créatif consiste donc à exprimer une notion qui a vraisemblablement été véhiculée un million de fois auparavant, mais en trouvant une façon distinctive de le faire. Sans cette différenciation, on court le risque que l'annonce sente le cliché et passe inaperçue dans l'autoroute de pubs qui défilent quotidiennement.

Le côté surprenant et innovateur peut théoriquement relever du produit si la satisfaction qu'il procure apparaît révolutionnaire et séduisante. Théoriquement toujours, le message pourrait alors exprimer de façon simple et littérale cette satisfaction, et le tour serait joué.

Mais dans bien des cas, le produit ou le service représente une satisfaction mineure dans la vie du consommateur. Le message doit alors prendre sa force dans la créativité de l'expression.

L'évocation créative s'exprime souvent par l'angle sous lequel l'objectif et l'axe sont véhiculés. Si, pour signifier le cachet haut de gamme d'un restaurant, on montre la rutilance de son vestiaire le samedi soir, il y a surprise. Si, pour témoigner de la popularité d'une voiture, on révèle l'ennui des vendeurs de la marque concurrente (et les cafés qu'ils ingurgitent à répétition), il y a surprise. Si, pour nous convaincre de la nécessité de détenir une bonne police d'assurance, on nous raconte l'histoire d'une automobile heurtée en Nouvelle-Zélande par un rhinocéros qui n'avait pas fait son arrêt, il y a surprise.

À vrai dire, il y a surprise chaque fois qu'on fuit ce qu'on appelle le «code publicitaire normal» d'un produit ou d'un service, à savoir la façon usuelle d'aborder la communication. Si on respecte, par exemple, le code publicitaire des messages de détergents, on devra montrer les pantalons du jeune garçon avant, pendant et après un match de football boueux. On peut aussi emprunter un code voisin, amenant déjà un certain changement. Par exemple, en recréant la scène classique de Jaws, où le requin s'élancerait, du fond de la machine à laver, à la poursuite des vilaines taches de boue. Enfin, il est possible de transgresser carrément le code publicitaire traditionnel, pour une brisure encore plus marquée. Au lieu de voir un bambin tout gommé, pourquoi pas un papillon? Ou encore un dauphin émergeant d'une marée de pétrole?

En plus de pouvoir résulter de l'angle d'approche, le sentiment d'innovation recherché peut aussi découler de l'articulation interne du message. Un changement de rythme. Le mariage d'éléments en apparence disparates. Ou un dénouement inattendu, au fil de la mise en scène, qui crée la surprise et cimente l'intérêt, le principe même à la base de l'humour. Une farce ne serait pas drôle si son évolution était prévisible. Par contre, on obtient des rires assurés lorsque le gag prend un tournant imprévu après l'entrée en matière.

Enfin, l'élément de surprise peut également naître de la forme qu'épouse le message à l'intérieur de son média porteur. Souvenons-nous combien il a été rafraîchissant (tout au moins les premières fois) de sentir un parfum dans une page de magazine. Combien il a été inusité de retrouver des annonces en plein centre des cotes boursières dans les quotidiens, jusque-là interdites à la publicité. Combien il a été surprenant de voir des dessus d'abribus, au centre-ville de Montréal, prendre l'allure de canettes de Coca-Cola lors des festivités du 350e anniversaire de la métropole. Et ainsi de suite, créativité aidant.

Avoir une force d'évocation

Pour franchir l'encombrement publicitaire, contrer l'effort des compétiteurs et percer la barrière d'indifférence des consommateurs, une idée doit posséder un fort pouvoir d'évocation.

Comme Socrate et Aristote, comme les prêtres pendant leur homélie, comme les avocats au cœur de leur plaidoirie, la publicité doit revêtir un côté démonstratif, théâtral, pour mieux séduire et mieux convaincre. Il ne s'agit pas d'emplir son auditoire de tape-à-l'œil, loin de là! Il s'agit, encore une fois, de trouver l'angle d'expression qui maximisera le pouvoir persuasif de l'axe et du positionnement. Trouver la comparaison, la répétition, la mise en scène ou la simple formulation qui rendra le message expressif et évocateur. Est-il plus suggestif de dire aux gens âgés que «le niveau d'endettement va croître», ou que «leur argent ne vaudra plus rien»?

Dégager un côté actif

Lorsqu'une pub télévisée utilise un récit, lorsqu'une pub imprimée présente l'aboutissement d'une histoire, lorsque les personnages figurant dans un message ont un nom, des tics, il est évident que le seuil d'intérêt porté à la publicité est plus élevé. Pourquoi un long métrage paraît-il captivant plutôt que somnifère? Parce le déroulement de son histoire comporte action et rebondissements. Tout comme le cinéphile retient davantage un film dont la mise en scène et le thème l'ont amené à s'identifier activement à son déroulement, le consommateur retient davantage une pub dont la mise en scène et le thème dégagent un côté actif.

Pas surprenant qu'une des récentes marottes dans l'industrie soit la publicité dite interactive. Celle qui invite le consommateur à composer un numéro 1 800. À téléphoner maintenant – *call now,* nous suggèrent les Américains. À appuyer sur F1. À échanger sur un site Internet. À poster un coupon pour recevoir gratuitement un dépliant. Lorsqu'on amène les gens à poser un geste concret, on accroît leur degré de participation au message et la rétention en sera d'autant bonifiée.

Peu importe si le message comporte ou non un élément interactif direct, il demeure certain qu'un concept actif, soit par son idée sous-jacente, soit par sa mise en scène, agit beaucoup mieux qu'un concept statique.

Avoir les gènes pour devenir populaire

Aussi stratégique, aussi pointue dans l'identification des clientèles soit-elle, la publicité n'en demeure pas moins un outil de communication de masse.

L'idéation publicitaire doit donc viser une compréhension et une acceptation générales. Entendons-nous bien. Il ne s'agit pas de courtiser les jeunes de 7 à 77 ans : à vouloir plaire à tout le monde, on risque de ne rejoindre personne efficacement. Cependant, une fois la segmentation des cibles bien arrêtée, on doit employer un discours et une approche accessibles à cette masse. Un discours si compréhensible, qu'il pourra même, éventuellement, être repris par la masse! Les gens feront du

Développé pour le réseau d'universités de Zoom Média, ce message ne montre pas la voiture mais véhicule son bénéfice de façon créative. Chaque photo Polaroid est prise sur le site même de son affichage. Puisque ce média permet un temps d'exposition accru, on y a intégré un texte, aussi bien adapté aux étudiants ciblés qu'au positionnement du produit.

slogan publicitaire une expression courante, parleront du porte-parole comme on parle d'une proche connaissance, prendront plaisir à suivre l'évolution de la campagne et attendront avidement l'avènement du concept suivant.

Une bonne idée publicitaire ne doit surtout pas être comprise et aimée uniquement par son concepteur. Il y a longtemps que les politiciens l'ont compris : en vulgarisant le concept et en allant chercher les gens par leurs tripes, le message porte beaucoup plus loin.

Faire vendre !

On souhaite d'une bonne idée publicitaire – le client annonceur est particulièrement de cet avis – qu'elle se traduise comme par enchantement par des ventes accrues. Cette intention demeure très légitime : loin de nous l'idée de penser qu'une idée ne fait pas vendre.

Plusieurs aspects extérieurs à la communication entrent cependant en ligne de compte dans le quotidien des affaires et du marketing. Comment passer sous silence les désirs et le pouvoir d'achat des consommateurs qui, par les temps qui courent, font la sourde oreille au plaisir de consommer ? Comment faire abstraction de l'endettement et de la menace des taux d'intérêt ? De l'entrée en jeu d'offres concurrentes à la nôtre ? De l'évolution des modes et des tendances ? Même la pluie et le beau temps affectent la courbe des ventes.

Il devient donc essentiel de considérer des mesures d'efficacité publicitaire autres que le chiffre d'affaires. Par exemple, la notoriété spontanée et assistée de l'annonceur, les niveaux de rappel et d'appréciation du message, et enfin, la proportion de gens qui associent au message le nom de l'annonceur.

Avouons malgré tout que si une campagne persiste dans son inefficacité à faire vendre, l'annonceur risque de remettre en question la relation avec son agence.

Être vendable... pour le client annonceur

Voilà à vrai dire une fausse préoccupation. Faut-il censurer son idéation de peur que le client annonceur y soit plus ou moins réceptif ? En principe non, puisque les annonceurs paient justement les publicitaires pour être experts en la matière. L'exception confirme la règle ?

1a

1a et b
Une démonstration active et cocasse du pouvoir de vente des petites annonces du quotidien annoncé. Tout comme dans l'expression populaire, dont le concept télévisé est sans doute inspiré, l'annonceur parvient à « vendre un frigidaire à un Esquimau ». Concision et action.

1b

PORTRAIT-ROBOT D'UN IDÉATEUR

On les appelle *créateurs*, *concepteurs*, ou *créatifs*. Dans le feu des agences de publicité, ils portent plus formellement le titre de *concepteur-rédacteur*, *concepteur graphiste*, *infographiste*, *directeur artistique* et *directeur de création*.

Cette genèse d'idéateurs n'est cependant pas la seule à participer à l'enfantement des concepts, puisque les sous-traitants extérieurs, engagés lors de la production des messages, peuvent aussi contribuer à l'idéation elle-même. Il n'est pas rare en effet que le réalisateur d'une pub télévisée contribue à l'expression de l'idée. Même chose pour les illustrateurs et les photographes employés à la réalisation d'un visuel.

Enfin, certains porte-parole idoles, notamment les humoristes, créent parfois leurs propres concepts. Les Frères Bleu, vedettes de la défunte campagne du secret de la Labatt Bleue développaient eux-mêmes tous les scénarios. À Claude Meunier revient la paternité des enfants prodigues que sont les messages télévisuels de Pepsi. Benoît Brière, le célèbre Monsieur B dans la publicité de Bell, met lui aussi la main à la pâte. Même l'employée modèle de Wal-Mart, Madame Françoise Bisson, celle qui raconte que «la madame était contente», a collaboré à son texte.

Qui sont-ils ces idéateurs concepteurs québécois? Certes, ils ont le plus souvent entre 20 et 45 ans, car contrairement aux États-Unis, la culture publicitaire d'ici est jeune et demeure plus à l'aise avec les jeunes. Certes, ils doivent idéalement établir leur crédibilité au sein de l'industrie avant l'âge de 35 ans. Certes, ils demeurent encore à majorité masculine. Mais encore?

Rarissimes sont les panneaux-réclames où le bénéfice du produit peut être illustré avec autant de tranchant, tout en permettant la liaison avec le point de vente.

Sa formation académique

Il y a 10 ou 15 ans, donc jadis! les concepteurs publicitaires bénéficiaient rarement d'une formation spécifique. Certains étaient gradués des beaux-arts, d'autres détenaient un baccalauréat en littérature française, d'autres avaient une licence en psychologie ou en sociologie. Ils mangeaient de la publicité et n'avaient pas froid aux yeux.

Il est probable que le concepteur de demain disposera d'un bagage plus pointu de connaissances et de diplômes. Il sera familier avec les théories de changement d'attitudes. Il connaîtra les principales recherches sur l'utilisation de la peur et de l'humour. Sans être un expert en tout, il entretiendra néanmoins une vision globale de l'ensemble du processus de la communication-marketing. Il aura une idée élargie sur le domaine, mangera encore de la publicité et n'aura toujours pas froid aux yeux.

Académiquement parlant, le concepteur de demain sera probablement titulaire d'un baccalauréat en communication. Plusieurs cégeps, à la grandeur de la province, offrent déjà différentes techniques relatives au domaine. Quant aux universités québécoises, l'Université de Montréal, l'Université du Québec à Montréal, l'Université Concordia et l'Université Laval offrent, dès maintenant, des programmes variés en communication, avec des champs de spécialisation. Certaines de ces universités dispensent également des programmes de maîtrise, quoique la plupart des idéateurs préfèrent entrer dans le feu de l'action dès que possible.

Cela, sans compter les mille et une avenues de perfectionnement qui s'offrent à l'étranger, dans les grandes universités européennes ou dans la mecque de la publicité, New York. Les voyages forment la culture...

Son cheminement professionnel

Selon les occasions qui se présentent, le créateur pourra commencer sa carrière de trois ou quatre façons. Il ira peut-être dans une grande agence de publicité, attiré par l'image de celle-ci et le brio de ses réalisations. Il optera peut-être pour une agence de taille intermédiaire ou une petite agence, confiant de pouvoir apprendre plus rapidement et d'hériter de responsabilités accrues.

Il arrive aussi que l'idéateur débute hors d'une agence de publicité. Un nombre croissant d'entreprises privées ou publiques embauchent dorénavant des concepteurs pour développer affiches, dépliants, brochures, présentoirs aux lieux de ventes, concepts et thèmes promotionnels, outils de marketing direct, etc. Dans notre contexte moderne où l'emploi traditionnel se fait rare, il est rassurant de voir que ce marché prend de l'ampleur et révèle de grandes possibilités. Enfin, plusieurs médias, notamment les hebdomadaires, les quotidiens et les stations de radio offrent, à l'interne, un service de conception publicitaire pour le bénéfice de leurs clients directs (ceux qui ne travaillent pas avec des agences); ces médias constituent donc également des embaucheurs potentiels.

La marche suivante pour l'idéateur, une fois lancé dans la mêlée, consiste à faire reconnaître son talent et l'efficacité de ses idées. Ce développement s'échelonne sur plusieurs années; il favorise la hausse de son salaire et lui permet de reluquer les grades supérieurs.

Les postes de directeur de la création et de directeur artistique font généralement l'envie de tous les idéateurs. Si l'intérêt personnel s'allie au talent et au travail acharné, on pourra obtenir ses galons sur une période d'environ cinq à dix ans, tout dépendant de la taille de l'organisation et de la fréquence des occasions.

Plus souvent qu'autrement cependant, les ouvertures abondent en publicité. On souhaitera changer d'agence après quelques années si on ne partage pas la philosophie créative de celle-ci. On souhaitera peut-être bosser sur des mandats plus excitants. Ou on voudra changer d'endroit pour empocher plus d'argent. On n'a, pour s'en convaincre, qu'à consulter les petites annonces et les avis de nomination chaque semaine dans le *Grenier aux Nouvelles,* bulletin-fax hebdomadaire sur l'activité publicitaire au Québec. Le maraudage est monnaie courante en publicité.

Mis à part les changements d'orientation en cours de route (un créatif optant pour le service à la clientèle ou la direction des communications dans une entreprise), il existe une dernière avenue de carrière digne de mention. Une avenue séduisante, mais risquée : celle de créer sa propre entreprise. Cette orientation se trace parfois à l'aube de la profession, question de tempérament ou de pénurie d'embauche. L'avenue «entrepreneurship» se dessine également lorsque l'idéateur a tissé, au fil du temps, une philosophie si articulée de la création et de la pub qu'il souhaite maintenant la vendre directement à des clients.

Ajoutons enfin que le métier de publicitaire abrite une variante intéressante à la pleine autonomie, soit celle d'offrir ses services comme concepteur-pigiste à plusieurs agences. Si la question de sécurité d'emploi se pose au même titre que lorsqu'on lance sa propre agence, elle se pose plus rarement pour un pigiste connu. En effet, les agences ont coutume de recruter des pigistes en cas de surcharge de travail, plutôt que de créer des postes permanents. Comme les agences sont presque systématiquement débordées, le volume d'emploi pour les pigistes réputés peut donc devenir une petite mine d'or. Sans oublier l'intérêt de côtoyer différentes équipes de planification sur toute une variété de mandats.

Sa personnalité

Préjugé numéro 1 : les idées arrivent en claquant du doigt. Chlak! Préjugé numéro 2 : les idées sont le fruit de quelques rares élus seulement.

En réalité, la créativité demeure avant tout une question de stimulation et de pratique, théoriquement accessible à tous. La preuve : tous les enfants, ou presque, dessinent et expriment librement leurs idées. Mais dans le moule rigide de l'éducation et de la société, le goût d'explorer et la créativité sont souvent mis en veilleuse dès l'adolescence. Résultat : l'idéation publicitaire, comme toute autre forme de création, devient bel et bien la pratique d'une minorité. Non par mesquinerie des dieux, mais par déformation humaine.

Tentons de décrire les traits de personnalité de ces idéateurs, bien qu'il reste évident qu'aucun portrait ne cadre parfaitement à tous et à toutes.

Un branché

Sous une allure rebelle ou enflammée, les idéateurs abritent souvent un amour inné de l'information et de la connaissance. «Les idées ne tombent pas du ciel, affirme le publicitaire et professeur Claude Cossette, elles émergent de têtes en ébullition.» Cette panoplie quasi infinie de choses à lire, à toucher et à voir commence par le bagage nécessaire au boulot de publicitaire. Un créateur doit être constamment à l'affût des tendances et des styles en illustration, en photographie, en rédaction, au cinéma, en musique, en peinture, etc. Il doit connaître les comédiens de l'heure, tout en sachant puiser dans sa mémoire, le nom du foutu acteur qui avait joué dans telle émission, à telle époque, et qui cadrerait tant avec le concept proposé aujourd'hui. Il doit aussi flirter avec tous les répertoires artistiques annuels sur la publicité, le graphisme et le design, sans oublier les périodiques essentiels : *Info Presse, Marketing, Strategy,* et les autres.

Outre le coffre à outils, on retrouve souvent chez l'idéateur un vif esprit d'observation. Vif, parfois même trop tranchant. Comme l'expression d'un sixième sens, l'idéateur aime tisser des relations entre les gens et les événements qu'il côtoie. Noter une expression particulière du langage. Remarquer une couleur de vêtement ou un agencement vestimentaire. Forger l'hypothèse que si une personne s'habille et parle de telle façon, elle pense probablement telle chose de tel sujet. Jacques Bouchard, le pilier fondateur de BCP, affirmait qu'un publicitaire doit être aussi un sociologue du dimanche. C'est à force de les observer qu'on comprend mieux les gens, et que la publicité qu'on leur adresse peut devenir plus efficace.

Il reste indéniable que la culture générale et l'intérêt marqué à fureter dans des champs d'intérêt multiples constituent de forts atouts dans le cv des concepteurs. Non seulement peuvent-ils y puiser un ressourcement global et perpétuel, mais parfois même des sources directes d'inspiration aux besoins du moment. Quand l'idéateur est en quête d'idées, tel article de magazine, telle expression entendue sur la rue, telle chanson sur tel disque lui reviendront en mémoire et le frapperont comme un train. Ces magazines, ces ruelles et ces sillons existaient pourtant la veille dans l'univers du concepteur. Mais en pleine phase d'idéation, dans un esprit ouvert et curieux, l'éclair-connection s'est fait, l'association a jailli.

Un émotif

Spontanés. Enthousiastes. Dominants. Têtus. Sceptiques. Polyvalents. Égocentriques. Empathiques. Oui, les créateurs sont tout ça.

Ils s'emballent pour un projet ou pour une idée, versent autant des larmes de joie que de tristesse, dépriment pour des touts et des riens. Étrange mais vrai, ils peuvent presque passer de l'extase à la plus noire déprime à l'intérieur d'une même phrase. Ou d'une opinion à son contraire à l'intérieur d'une même heure.

Pas surprenant que les concepteurs investissent beaucoup d'émotion et beaucoup d'ego dans leur boulot de publicitaire. Ah! la fierté de fréquenter les clubs de créatifs, d'assister aux soirées de gala de l'industrie, de recevoir un prix! Ah! la fierté de présenter le fruit de leur réflexion à un client ou à un collègue. Devinez quoi : ils apprécient grandement qu'on estime leur produit créatif, mais basculeront, au bord de la crise, dans le cas inverse.

Un indépendant

Bien qu'il soit doté d'un leadership certain, qualité obligatoire pour quelqu'un qui aura à rallier l'entourage autour de ses idées, le concepteur ne se permet qu'un faible penchant pour le social. Pas de billet de saison pour les rencontres jugées futiles et superficielles. Pas de parti pris pour un groupe plutôt qu'un autre.

À vrai dire, l'idéateur pourrait faire bande à part qu'il ne s'en porterait pas plus mal.

Un bourreau de travail

Contrairement à l'opinion populaire selon laquelle les idées claquent du doigt dans la tête des personnes douées, le créateur publicitaire investit en réalité une somme impressionnante d'efforts et d'énergie dans sa quête de concepts. Emporté par sa soif d'explorer et son perfectionnisme quasi exagéré, il bûche et pioche jour et nuit. Nuit et jour. Il poursuit sa recherche et n'aura pas de cesse avant d'avoir trouvé son idée.

ET LA LUMIÈRE FUT !

Brisons de nouveau les tabous et les préjugés : le processus d'idéation publicitaire n'est pas un acte spontané car il prend racine dans une réflexion globale en communication-marketing. Si le produit créatif constitue l'aboutissement, il doit se rattacher aux lignes stratégiques directrices qui ont d'abord été tracées par une équipe multidisciplinaire de communicateurs. Voyons comment s'articule le cadre de travail dans lequel naîtra la création.

La planification stratégique

La première étape dans la mise sur pied d'un plan de communication se nomme *planification stratégique*, ou plus simplement *planif.* Elle regroupe, autour d'une table de discussion, un administrateur publicitaire, responsable du projet, un expert en médias, et bien sûr un idéateur. Selon les particularités du mandat, le comité de planification pourra aussi inclure un spécialiste des relations publiques, de la recherche, de la promotion des ventes, de la production graphique. L'expérience prouve cependant que le groupe est plus productif s'il est constitué de quelques personnes seulement, disons trois ou quatre, ou occasionnellement, cinq. Appuyée par une recherche documentaire dont la cueillette incombe au chargé de projet (tendances de marché, historique de l'annonceur, évolution de la consommation, marché cible, parts de marché, motivations et freins autour de la consommation du produit ou du service, quantité et taille des compétiteurs, stratégies publicitaires des compétiteurs, ampleur et caractéristiques des réseaux de distribution de l'annonceur et de ses compétiteurs, etc.), l'équipe de planification consacre quelques rencontres, de deux à trois heures chacune, pour jeter les bases de la campagne. On discutera des clientèles cibles à favoriser. De l'angle sous lequel on doit tenter de vendre le produit, c'est-à-dire son positionnement et l'axe de communication. Des outils de communication à préconiser : publicité traditionnelle, promotion, relations publiques, marketing direct, commandite ou autres. Des médias s'avérant le plus susceptibles de favoriser l'impact communicationnel souhaité. Sans oublier l'approche créative globale.

Le comité de planification ne fait aucune création comme telle. On s'entend cependant sur la nature du message à communiquer. Le produit présente-t-il une satisfaction dominante dont la simple mention serait persuasive ? Mérite-t-il au contraire l'appui de matières d'expression extrinsèques ? Dans certains cas rares, si la problématique le justifie, l'équipe de planif pourra émettre des recommandations quant à certaines composantes du message : le besoin de crédibilité, les volets d'information essentiels, l'utilisation d'un porte-parole, l'appel à l'humour, etc. Mais ces pistes ne constituent aucunement des concepts. C'est au délégué de la création, maintenant, de troquer son chapeau de planificateur contre un chapeau de concepteur, puis à réintégrer le château fort de la création en compagnie de l'équipe attitrée.

1a et 1b
Loin de se contenter tout bonnement de montrer la fraîcheur des produits et l'empressement des employés, cette campagne à multi-exécutions mettait également en vedette la synergie média/création. En affichage extérieur par exemple, les créations étaient déployées sur des panneaux côte à côte pour mieux véhiculer le contraste de l'histoire. (Il aura fallu attendre plusieurs années avant que la formule ne soit réutilisée récemment pour la bière Grand Nord.)

Les histoires de Mario. *1a*

Le poisson de Provigo. *1b*

La constitution des équipes créatives

La seconde étape préliminaire consiste à désigner les créateurs qui bûcheront sur le mandat. Pour catalyser le flot des idées, on couple le plus souvent un spécialiste de l'image (concepteur graphique ou directeur artistique) avec un spécialiste du texte (concepteur-rédacteur). Non seulement l'expertise de ces deux types de créateurs se complète-t-elle naturellement, mais le fait de pédaler en tandem stimule considérablement l'enfantement. Par le jeu de relance des idées, véritable match de ping-pong créatif, l'échange entre deux têtes produit beaucoup plus de résultats que le travail d'une seule personne multiplié par deux.

Quelques règles non écrites. Dans la formation des équipes, il faut évidemment considérer les affinités et les expériences des créateurs relatives au produit ou au service considéré. De même, il faut tenir compte de la chimie entre les partenaires pour favoriser la fusion des idées plutôt que l'éclatement des conflits. Notons au passage que certains concepteurs préfèrent se concentrer sur un seul projet à la fois, alors que d'autres aiment bien l'idée de flirter avec plusieurs mandats créatifs en même temps. Enfin, puisque les affaires sont les affaires, il va de soi que la complexité d'un projet et surtout son enveloppe budgétaire influencent directement la quantité de créateurs qui y seront affectés. Si le design d'un logo reste généralement l'affaire d'une seule personne supervisée par un directeur artistique, l'accouchement d'une campagne annuelle multi-médias pour un des grands annonceurs au Québec nécessite l'implication de trois ou quatre équipes de création, sous l'œil passionné du chef de groupe et du directeur de création.

1 et 2

Qu'on l'appelle «saut créatif», «pensée latérale», «association d'idées», «effet Chlak!» ou simplement «figure de style», il s'agit bel et bien du résultat tranchant de la réflexion créative. Les exécutions frappent, évoquent, transcendent la réalité de l'annonceur, sans négliger qu'il s'agit d'un commerce au détail. Tant la version affichage que la version télévision de cette campagne ont été en nomination au 3e mondial de la publicité francophone.

L'idéation, prise 1

Quand faut y aller, faut y aller. Après avoir ingurgité les obligatoires tasses de café, après avoir retourné les quelques appels importants parmi le lot de mémos téléphoniques, vient le moment fatidique où il ne doit plus subsister d'obstacle entre la table à dessin et le cerveau en ébullition. Plus de censure. Plus de doute. Plus de chicane de ménage. Plus d'enfants à la garderie. Du moins, pas pour les quelques heures à venir. Puisque l'attitude du concepteur devant la tâche à accomplir apparaît presque aussi importante que son talent et son expérience, il faut faire place au positivisme et à la concentration.

Lorsqu'un musicien compose, il ne soupçonne pas d'avance la couleur harmonique qui en résultera. Mais lorsqu'un publicitaire pond, il envisage déjà la teneur du message qui va éclore.

Car au risque de se répéter, la pub accouche normalement

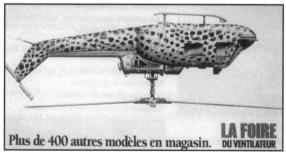

1

2 **Plus de 400 autres modèles en magasin.**

LA FOIRE DU VENTILATEUR

d'une création orientée vers des stratégies et des objectifs bien délimités. Donc, pas de syndrome aigu de la page blanche. Néanmoins, il reste à concocter – ce qui n'est pas une mince tâche – la façon d'aborder le message de manière distinctive, forte, nouvelle et évocatrice.

Ah oui, le facteur temps. Le processus d'idéation publicitaire demande du temps, souvent plus de temps que celui alloué, même s'il s'agit d'une p'tite vite! Chaque phase active de création requiert de deux à trois heures, soit jusqu'à saturation des idées ou épuisement mental. Suivent ensuite les heures de la vie courante, consacrées aux autres projets de l'agence, au trajet en automobile jusqu'à la maison, à la marche en solitaire le soir dans son quartier, à la pause-pipi ou même au temps d'arrêt obligatoire sur l'oreiller. Peu importe le moment, les idées continuent de cheminer et de s'entrechoquer dans l'esprit du concepteur. Petit à petit, des bribes de réponses s'entassent. Et subitement, chlak! Quinze minutes après l'idéation initiale (était-ce trois heures après, deux jours, ou une semaine plus tard?), une solution prend forme. Nous disons bien *une* solution, puisqu'il est coutume de rechercher *plus d'une* solution.

Sachant que le bébé n'arrive pas en claquant du doigt, le concepteur ne panique pas. Stimulé par un magma de réflexes personnels et de techniques de créativité, le concepteur sait qu'en prenant le temps qu'il faut pour explorer, nombre d'idées surgiront. Qui sait si elles seront géniales? L'important reste de réfléchir sereinement.

L'idéation, prises 2 à 16

Après ce tour de piste en accéléré, tentons de disséquer chacun des virages qui jalonnent une phase active d'idéation. Mais attention : il n'existe aucun tracé immuable, à peine un tracé préalable.

Esprits positifs et allumés, le directeur artistique (ou concepteur graphique) et le concepteur-rédacteur se munissent de matériel pour y noter au passage les embryons d'idées : tablette à dessin et simples feuilles de papier ligné ou quadrillé. Ensemble (ou individuellement s'ils préfèrent travailler en solitaire), ils réfléchissent à voix haute sur les faits saillants du projet. Et s'ils sont méthodiques, ils font même appel à une liste de contrôle des points de départ potentiels, pour être sûrs de n'en oublier aucun :

• *Le nom même du produit ou du service à annoncer, le nom de l'annonceur, son logo et ses couleurs graphiques.* Y a-t-il des associations à faire à partir du nom? Des jeux de mots évocateurs reprenant une partie de ce nom? Une projection ou une symbolique découlant du logo, d'une ou plusieurs de ses couleurs? Une mise en situation découlant du logo, en tout ou en partie? Mine de rien, de très forts concepts peuvent être élaborés à partir de ce point de départ si évident... qu'on néglige parfois de le considérer. Les photographes s'entêtent à croire que les plus belles photos sont celles que l'on croque à l'autre bout du monde! Pourtant, les meilleurs sujets campent généralement dans le rayon immédiat de leur quotidien. À force de les entrevoir, on finit par ne plus les regarder!

Créée en 1982, cette signature publicitaire est répertoriée dans le Livre des records Guiness *comme la plus courte au monde. Tout aussi courte qu'efficace.*

• *Le portrait chinois du produit ou du service.* Il s'agit d'un exercice d'extrapolation qui vise à provoquer des connotations en tentant, par analogie, de personnifier la marque avec, par exemple, un animal. Si le produit était un chien, serait-il un pit-bull ou un caniche?

• *L'avantage ou le bénéfice lié au produit, tel que mis de l'avant dans l'axe et le positionnement publicitaires.* Voilà généralement la source d'une rivière de concepts. Si on donne à une voiture un positionnement de performance, on pense alors au fait d'aller vite, d'arriver bon premier à destination, de risquer les contraventions; on songe au fait que le moteur a du cœur au ventre, un VO_2 max à tout casser, qu'il abrite toute une écurie de purs-sangs dans le moteur, etc. S'il s'agit d'une vente à 50 % de rabais, on pense à couper le produit en deux, le dollar en deux, le titre en deux, le visuel en deux, ou à présenter deux robes au lieu d'une, des sœurs jumelles plutôt qu'un seul mannequin, etc.

• *Les conséquences et les résultantes multiples de l'avantage ou du bénéfice lié au produit.* Un lac profond et insondable! Si la voiture en question baigne dans la performance, on pense au fait qu'elle donne la chance de roupiller plus tard le matin avant d'aller travailler, qu'elle permet d'arriver premier dans la file d'attente pour la vente des billets de Pink Floyd, qu'elle devient le point de mire des policiers de la Sûreté du Québec, qu'on finit par connaître les agents de police par leur prénom, que les vaillants gardiens de la paix souhaiteraient l'adopter comme véhicule de fonction, etc. Imaginer des résultantes consiste à faire naître le plus de démonstrations nouvelles et évocatrices possibles de la valeur du produit ou du service à annoncer.

• *La liste des gens, des gestes et des objets impliqués dans le processus d'achat ou la simple utilisation du produit ou du service.* Wow! Un fleuve d'idées! Le banquier qui estime le véhicule cher, mais en rêve néanmoins. Le pompiste à la station-service qui envie son client quatre fois par semaine. L'agent d'assurances qui empoche le chèque avec convoitise. Le voleur qui reluque cette voiture plus que les bijoux de la Castafiore. Le gangster qui désire pareil engin pour déguerpir rapidement après un assaut. Le voyage au Japon et les bouffes au restaurant chinois qu'on sacrifie pour jouir du bolide. La tondeuse télécommandée à 18 fonctions qu'on n'achètera pas cette année. Le pilote de navette spatiale qui utilise ce véhicule pendant son entraînement quotidien. Ainsi de suite.

Une campagne qui a révolutionné les normes. D'abord, elle privilégiait comme média unique l'affichage extérieur plutôt que la télévision, une primeur à l'époque. Imaginez, en plein mois de janvier, l'impact de ces panneaux de rêve ensoleillé dans la grisaille urbaine! Ensuite, et bien sûr, grâce à son exécution forte et épurée.

Ce travail d'exploration-réflexion peut s'étendre facilement sur une demi-journée. Dès qu'une piste intéressante surgit, on s'y arrête et on note au passage le mot clé ou la référence. De cette piste s'ensuit une recherche d'évocations possibles. Par association d'idées ou par cheminement logique, on esquisse au passage toutes les représentations conceptuelles découlant du mot clé ou de la référence, jusqu'à son épuisement. On passe ensuite au second mot clé jailli de la réflexion de base. On met en branle le même scénario jusqu'à saturation. On passe à un autre appel. Pardon! Au mot clé suivant. Ainsi de suite.

Voilà complétée la première phase active d'idéation. Mieux vaut maintenant changer de sujet, vaquer à d'autres occupations et laisser la poussière retomber. Nous voilà en phase de latence ou en période de germination des idées. Des embryons créatifs viables ont certainement pris corps. Mine de rien, ils continuent de cheminer dans le for intérieur des concepteurs. Ou peut-être même à tue-tête! L'accouchement risque d'arriver plus tard dans la journée, la soirée, ou la semaine, stimulé par une conversation, une observation, une interruption, une irruption... ou un simple rien.

Si le big bang n'est pas survenu pendant la période de latence, appelée aussi «rêve éveillé», on passe alors à une nouvelle phase active d'idéation. Soit que l'on reparte de zéro, puisque le tremplin d'exploration décrit plus haut peut mener à un nombre quasi illimité de pistes, soit que l'on ressasse les mots clés trouvés à l'acte précédent. Même les pistes déjà défrichées peuvent engendrer de nouveaux concepts d'évocation.

Après une, deux, ou plusieurs rafales d'idéation, entrecoupées de pauses individuelles de gestation ou de mûrissement, viendra tôt ou tard le moment où plusieurs bonnes idées auront germé. Reste alors à mettre en forme ces idées, après leur acceptation par le chargé de projet et le comité de planification.

La présentation interne

Puisque l'orientation générale de la campagne a été façonnée par l'équipe de planification stratégique, ce groupe constitue logiquement le premier stade d'approbation que devront franchir les concepts publicitaires mis au point.

Et il n'y a rien de mal à cela. Après tout, si les gens qui ont tissé les fils directeurs ne comprennent pas les aboutissements conceptuels, qu'en sera-t-il des consommateurs qui n'auront droit, eux, à aucune séance d'information avant d'être exposés aux messages...

Rappelons que le comité de planification se définit davantage comme un miroir que comme un groupe d'inquisiteurs. Son rôle est de percevoir si les stratégies maîtresses coulent bien à l'intérieur des concepts proposés. Si le positionnement est fort et net. Si un élément accessoire n'a pas volé la vedette. Si l'on retient ce dont il faut se souvenir. Certes, on commentera les approches créatives présentées, quelques suggestions occasionnelles à l'appui, sans toutefois tomber dans le jugement de valeur. Si tout le monde a droit de parole lorsqu'il s'agit d'échanger sur les grandes orientations, les idéateurs devraient conserver un droit de veto lorsque la discussion porte sur les ingrédients créatifs eux-mêmes.

Ainsi donc, le comité de planification passe en revue chacun des concepts présentés à leur stade préliminaire, c'est-à-dire ébauchés à grands traits noirs et blancs, avec un titre souvent provisoire et sans texte d'accompagnement. Nous disons «chacun des concepts», puisqu'il est coutume pour les idéateurs de préparer plusieurs approches véhiculant de façon différente le même concept. Non seulement l'agence et le comité de planification aiment jouir de cette abondance d'idées, mais il demeure dans la nature intrinsèque de la créativité de considérer plusieurs solutions à toute problématique.

À la suite de l'exercice, on tâche de retenir, d'un commun accord, une à trois orientations pouvant être travaillées plus à fond. On ne s'en tiendra qu'à une seule lorsqu'elle surclasse toutes les autres, ou surtout lorsque le client pour qui le mandat est effectué a favorisé historiquement la présentation d'une et une seule avenue créative. À l'inverse, on pourra souhaiter que plus d'une approche soit poussée en profondeur, particulièrement si la relation avec le client encourage cette pratique.

Et si aucun des concepts ne clique lors de la présentation interne? Voilà des choses qui arrivent... Aux idéateurs de retourner alors à la case départ, en vue d'une nouvelle génération d'idées qui seront, à leur tour, présentées à l'équipe de planification stratégique.

La mise en forme des concepts

Une fois traversée la première grille d'approbation, trois devoirs de mise en forme restent à mettre sur pied pour raffiner le canevas brut des idées ou des concepts d'évocation émis.

Mise en forme graphique

Sous l'œil attentif du directeur artistique, ce travail consiste à optimiser l'impact visuel du concept, par le biais d'une série d'études graphiques.

Il s'agit tout d'abord de considérer la mise en pages, l'orientation, la disposition et la proportion occupée par les différents éléments qui constituent, selon le cas, le message : image photographique ou image en illustration, titre, logo et signature de l'annonceur, bloc de texte. Si la règle d'or veut que l'image occupe de préférence la majorité de l'espace disponible, il reste une grande latitude créative à explorer. Où sera positionnée l'image à l'intérieur de l'annonce? Sous quel plan et sous quel angle la présentera-t-on? Et si le titre de l'annonce devenait l'élément visuellement dominant?

1 et 2
Vert comme la forêt d'Amazonie, rouge comme le soleil couchant, cette campagne télévisée donne vie en 3-D au slogan « toutes les couleurs du monde ». Direction artistique léchée et épurée.

Il faut également effectuer une étude de couleurs, plus ou moins élaborée selon l'application. Quelle couleur unique ou quelle combinaison de couleurs sera utilisée en arrière-plan? Une couleur uniforme à 100 % ou un dégradé progressif? Quelle couleur sera utilisée pour le titre? Sera-t-il imprimé directement sur le fond, ou inséré dans une sorte de bandeau horizontal d'une couleur différente du fond? Quant au texte, sera-t-il en noir ou en couleur? Mine de rien, pareilles recherches de couleurs s'avèrent extrêmement importantes puisqu'elles influencent la lisibilité du message, son contraste et sa symbolique. Si l'étude de couleur cède sa place dans le cas d'une annonce en noir et blanc, si elle demeure relativement sommaire (et encore…) dans le cas d'une annonce de journal en deux couleurs (c'est-à-dire noir plus une couleur), l'exercice revêt souvent une forme plus complexe : par exemple, dans le cas d'une campagne d'affichage extérieur, où l'efficacité communicationnelle repose largement sur une maîtrise sans failles de l'habillage graphique, ou encore lorsque le mandat implique le développement d'un logo.

La mise en forme visuelle porte enfin sur tous les aspects graphiques relatifs aux mots et aux textes. Le choix des caractères typographiques utilisés pour le titre. La grosseur de ces caractères. Le nombre de lignes (idéalement une seule) qu'occupera ce titre. Le renfoncement des paragraphes. La séparation du texte en colonnes. Le choix des caractères typographiques utilisés pour le texte. L'interlignage. Les éléments centrés, les éléments justifiés à gauche, les éléments justifiés à gauche et à droite. L'utilisation de majuscules, de caractères gras, d'italiques et de soulignés. Tout comme pour les couleurs, les décisions graphiques liées aux textes sont non seulement une question de style projeté, mais plus encore de contraste et de lisibilité dans le but de favoriser la lecture et la compréhension des données présentées.

Selon l'ampleur du projet, les différentes études de mise en forme graphique peuvent requérir entre 3 et 15 heures.

Mise en forme des textes

Lorsque naît un concept imprimé, un concept radio ou un concept télévisuel, l'idéateur a tout au plus une idée générale de ce que contiendront les éléments de texte. Pour la majorité des annonces imprimées, le contenu du titre fait partie intégrante du concept : il ne reste qu'à peaufiner sa formulation. Mais en ce qui concerne le bloc de texte comme tel prévu dans une annonce imprimée, radio ou télévision, l'exercice de rédaction demeure généralement entier une fois l'idée globale arrêtée.

Savoureuse intégration du concept dans son visuel, son titre et son texte. L'équipement du modèle garni inclut même les anchois…

La responsabilité de pondre des textes efficaces, vendeurs, séduisants et actifs revient au concepteur-rédacteur, sous la supervision du directeur de création. Mais d'abord, la formulation exacte des titres et des slogans publicitaires s'avère presque une fonction en soi.

Le titre idéal doit transcender l'objectif de communication, par un court enchaînement de mots qui possèdent un pouvoir magique d'évocation et de sonorité. Puisque les études Starch, qui portent sur l'attention donnée aux messages publicitaires imprimés, indiquent que 50 % des gens qui regardent une annonce ne s'en tiennent qu'au titre et à l'image, il est donc essentiel que le titre présente l'idée maîtresse derrière le message. Si, et seulement si, cette condition de clarté stratégique est remplie avec brio, on pourra alors penser à un mariage plus intime titre/image, en intégrant, à l'intérieur du titre, un ou quelques mots qui suggèrent un lien évocateur avec les iconèmes contenus dans l'image.

Écrire un titre est un processus systématique. Mu par l'objectif de communication, inspiré par le concept et sa représentation visuelle, le rédacteur-concepteur couche sur papier toute formulation qui lui traverse l'esprit. Comme en pleine phase d'idéation globale, il note au passage les mots clés qui émergent du concept et de son visuel, chaque terme de référence peut engendrer à lui seul une riche série de titres. La formulation parfaite étant fonction de plusieurs paramètres simultanés, la longueur, le rythme, l'euphonie, le côté actif et le sens, il vaut la peine de considérer toutes les variantes dans le choix et la séquence des mots. Résultat : cinq propositions de titres, ou dix, ou une page entière recto verso, bref, autant d'esquisses verbales qu'il faut pour obtenir l'impression d'avoir fait le tour du sujet.

Après cette prolifération, reste à trier les meilleurs rejetons. Si aucun n'apparaît assez costaud pour survivre dans la jungle publicitaire, le bal d'écriture reprend de plus belle... Et même si quelques titres apparaissent à ce stade efficaces pour leur force d'évocation, leur clarté, leur style actif, peut-être pourrait-on les écourter, sans y perdre de contenu, mais y gagner en force de mise en page et en pouvoir de rétention.

«Cent fois sur le métier, remettez votre ouvrage», disait Boileau. Autant d'efforts faut-il consacrer à la rédaction d'un titre ou d'un slogan (l'exercice de rédaction d'un slogan est similaire à celui d'un titre, à la différence près que le slogan, plus universel et durable, n'a aucun clin d'œil à faire à un quelconque visuel), autant faut-il en investir parfois pour épurer sa formulation.

Trouvé, le titre. Maintenant, le rédacteur-concepteur s'attaque aux différents textes publicitaires à incorporer au sein des annonces imprimées, radio ou télévision. Là aussi, deux phases de travail, presque aussi exigeantes l'une que l'autre en ce qui a trait au temps. D'abord, rédiger le message selon les règles de l'art en érigeant une forteresse autour des éléments de contenu essentiels. Ensuite, défier le rendu pour tenter d'exprimer le message en termes encore plus concis. Chaque syllabe sauvée en radio et en télévision permet aux comédiens de livrer leur texte avec plus d'émotion et de rythme. Chaque phrase et chaque mots amputés à un texte imprimé donnent au corps restant la chance d'être composé en plus gros caractères, de respirer davantage dans la mise en pages globale de l'annonce, sans compter que l'image et le titre bénéficieront de plus d'espace pour camper leur impact potentiel.

Selon l'ampleur et la complexité du projet, on peut consacrer une demi-heure à plus de deux jours à la rédaction d'un titre ou d'un slogan, incluant la phase finale d'épuration. À peu près autant de temps faut-il attribuer à la rédaction d'un texte efficace... et écourté (!), peu importe qu'il s'agisse d'imprimé, de radio ou de télévision.

Mise en forme de l'articulation scénique

La dernière nécessité, dans le polissage d'une idée, consiste à donner la touche finale au concept juste avant sa préproduction. S'il s'agit d'un message imprimé, on définira par exemple le style et le traitement recherchés pour la photographie ou l'illustration. Le gabarit idéal des mannequins ou figurants s'il y a prise de vue. Les accessoires essentiels au décor. Il n'y a pas lieu, cependant, de buter sur les virgules : l'idéateur ne doit considérer à ce stade que les aspects majeurs, ceux qui ont un rôle déterminant sur la communication. Un sous-traitant, photographe, illustrateur ou accessoiriste, se chargera par la suite des mille et un détails dont il faut tenir compte pour optimiser la production.

Lorsqu'il s'agit d'un concept électronique, radio ou télévision, un des polissages fondamentaux concerne le choix des comédiens et comédiennes prêtant vie au message. Leur binette. Leur timbre de voix. Leur cv artistique et leur association à un style ou à un autre. Le type d'attrait qu'ils exercent aux yeux du public (sympathie, crédibilité, vécu, etc.). Enfin, bien sûr, leur capacité à propulser le message dans le registre voulu (légèreté, humour débridé, dynamisme, classe, désinvolture, etc.). En constatant l'importance que revêtent actuellement les porte-parole vedettes de la publicité, il va de soi qu'il y a là une source de créativité dans le choix

même du personnage. Comme le fait de ressortir la Poune dans une robuste annonce de pick-up... Ou Louise Marleau pour conférer de la noblesse à une berline. Ou Plume Latraverse pour...

Très souvent, la bande sonore occupe elle-même un rôle privilégié dans un message électronique. Un concept peut revêtir un habillage musical intégral, qu'il soit un air connu en trame de fond ou une véritable chansonnette claironnant les mérites du produit ou du service, ce qu'on appelle *jingle* ou ritournelle publicitaire. D'autres fois, l'avenue créative ne fait appel qu'à une judicieuse intervention d'effets sonores. Selon les besoins et l'orientation donnée au mandat, l'idéateur devra tour à tour songer au style de musique approprié, sélectionner une ou plusieurs œuvres existantes pouvant cadrer avec l'effet publicitaire recherché, répertorier des effets sonores, ou encore rédiger les paroles de la ritournelle.

La mise en forme de l'articulation scénique peut facilement occuper un concepteur durant deux à cinq heures, sans compter le temps de gestion nécessaire par la suite : vérifier les disponibilités des comédiens, négocier leur cachet, s'enquérir des droits d'auteur sur telle œuvre musicale, vérifier si le studio de production a en main les effets sonores recherchés, entrer en contact avec un musicien pour la composition de la ritournelle publicitaire, etc.

Une campagne savoureuse qui respecte l'intelligence du consommateur. À la bonne heure ! L'annonceur rit de ses propres préjugés dans une série de réalisations aussi attachantes que persuasives. Le porte-parole transperce l'écran tellement il sonne juste.

La réalisation de maquettes de présentation

Après leur approbation interne par le comité de planification stratégique, après leur mise en forme, l'étape suivante consiste à présenter au client les fruits de l'idéation. Il va de soi que cette démarche requiert des maquettes fidèles au produit fini. Imaginons un vendeur d'automobiles tentant d'expliquer à l'acheteur potentiel que le moteur sur son démonstrateur n'est pas au point, mais qu'il n'y aura pas de problème lorsque le client aura pris possession du véhicule et payé...

Pour jouer son rôle adéquatement, une maquette doit d'abord être à l'échelle de l'application pour laquelle elle est destinée. Ainsi, il est logique de présenter un concept de super panneau (dont le format réel mesurera autour de 14 pieds sur 48) par une maquette plus volumineuse que celle qui serait utilisée pour un dépliant à deux volets, à insérer dans une enveloppe numéro 10. La maquette doit également refléter les études graphiques, rédactionnelles et scénographiques qui ont été réalisées. On y illustrera le visuel proposé dans des couleurs les plus fidèles possibles, on y incorporera le titre recommandé, on positionnera le logo de l'annonceur accompagné le cas échéant de son slogan, enfin, on simulera l'espace qu'occuperait le texte à l'intérieur de l'annonce. Voilà décrite, sommairement, ce qu'on appelle une maquette de qualité B. Mais on utilise parfois des maquettes de qualité A, tout comme, dans d'autres cas, des maquettes moins élaborées.

La qualité de maquettes requise est en effet fonction de trois critères. D'abord, l'importance financière et stratégique du mandat : plus grands sont les enjeux, plus séduisants et plus sophistiqués sont les accessoires de présentation. Une maquette de type A peut facilement exiger plusieurs dizaines d'heures : l'illustration est – à s'y méprendre – conforme à l'éventuelle photo et les moindres lignes de texte sont en place. En second lieu, l'ancienneté de la relation entre l'agence et son client. Une fois le climat de confiance établi, il arrive que l'annonceur n'exige plus des maquettes plus vraies que vraies, puisqu'il est con-

scient des honoraires investis et qu'il aura été témoin à maintes reprises de la rigueur de l'agence au moment de la production. Enfin, la capacité d'extrapolation créative du client : certains annonceurs paraissent à l'aise pour décoder le potentiel d'un concept à partir d'une simple maquette, d'autres moins.

Les mêmes variantes dans le raffinement s'appliquent aussi aux maquettes de messages électroniques. Quand il s'agit d'un message radio, on se contente généralement de présenter le texte complet de l'annonce, accompagné d'une description des éléments de mise en scène : style de comédiens, ton musical, nomenclature des effets sonores. Occasionnellement, on annexera les réalisations antérieures des comédiens et des musiciens recommandés, de façon à renforcer l'idée de travailler avec eux.

Dans le cas d'un message télé, la présentation fait d'habitude usage d'un scénario-maquette, communément appelé *story board*. Il s'agit, à vrai dire, de 5 à 10 images disposées en séquence logique sur une maquette grand format, illustrant le déroulement et les points forts de l'action. Tous les éléments sonores, la narration et les dialogues sont inscrits au bas des images correspondantes.

Mais pour un impact frisant la perfection, les maquettes des messages électroniques cèdent la place à de véritables démonstrateurs (démos) du produit fini. On pourra produire un démo de la ritournelle publicitaire, du message radio et même du message télévisé. Selon la qualité désirée et surtout les budgets consentis à l'exercice, on fera appel aux véritables comédiens recommandés pour la production finale, ou encore, faute de sous, à des comédiens moins connus dont les cachets sont plus discrets. Autant d'efforts nécessaires pour favoriser une présentation percutante au client annonceur.

La présentation au client

Le feu vert de l'annonceur constitue la seconde et ultime étape d'approbation d'un concept. L'idée proposée doit plaire et apparaître potentiellement efficace, à condition que les objectifs, moyens d'action et choix médias recommandés plaisent eux aussi. On devine bien que si l'articulation stratégique d'une campagne ne correspond pas à la vision de l'annonceur, il y a peu de chances que les concepts créatifs survivent.

Malgré l'ampleur du travail réalisé jusqu'à maintenant, malgré le souci que devraient se donner les agences à bien comprendre la réalité marketing et les besoins de leurs clients, il arrive qu'une campagne ne franchisse pas la rampe. Même dans les meilleures conditions. Retour alors à la case départ, autant pour l'équipe de création que pour la planification stratégique elle-même, sans passer *Go* et sans réclamer 200 $. Comme on dit dans le métier : «Cannée, la campagne!»

Un autre scénario de rejet est celui où des concepts sont désapprouvés malgré l'acceptation du support stratégique et des moyens d'action. Cannés, les concepts! Si le concept entier crée un malaise, le traitement peut nécessiter une nouvelle cure d'idéation. Lorsque le bobo semble bénin, quelques retouches sur le plan du titre et du texte, ou de certains éléments de l'image, peuvent généralement procurer le soulagement souhaité.

Lorsqu'il ne s'agit pas de rejet mais de simple questionnement, il est possible que le client demande à ce que les concepts soient soumis à des prétests auprès du public, soit pour aider à choisir l'idée la plus efficace parmi les deux ou trois qui ont été présentées, soit pour vérifier que l'objectif derrière le message est bel et bien compris par les consommateurs. Réalisée par le biais d'entrevues personnelles ou au travers de groupes de discussion, cette démarche peut, elle aussi, entraîner un retour à la case idéation, ou à des retouches au sein des composantes créatives.

Levons enfin notre chapeau aux présentations bien préparées, bien orchestrées, où tout baigne dans l'huile, de la stratégie aux concepts.

Les embûches à la création

Comment une présentation au client peut-elle avorter? Pourquoi une séance d'idéation a-t-elle de la peine à accoucher? Serait-ce pour les mêmes raisons?

Le principal adversaire de l'idéation demeure sans contredit la censure. Peur que l'éclair ne soit qu'un pétard mouillé et que l'avenue ne vaille pas la peine d'être explorée plus loin. Peur que le truc ressemble trop à un machin qui a déjà été fait, ici ou ailleurs, il y a plus ou moins quelques années. Peur de manquer de budget pour produire à la hauteur de l'idée. Peur que le concept ne tombe pas dans les goûts du client. Dire que chaque fois qu'on censure un filon, on tue dans l'œuf la possibilité que celui-ci fasse germer deux, trois, ou cinq idées en or…

Campagne fleuve où le comique des situations et le jeu piquant des comédiens frôlent tous deux l'absurde, pour obtenir une accroche publicitaire incontournable. Les lecteurs assidus d'Info-Presse se feront intérieurement la remarque que le Poulet Frit Kentucky se classe régulièrement comme l'annonceur le plus détesté. Mais les héritiers du Colonel auraient-ils maintenu ce cap créatif s'ils n'avaient pas rapporté largement au tiroir-caisse?

Les contraintes temporelles, l'état physique et la disposition mentale du concepteur peuvent également entraver la créativité. Le corps a ses limites qui finissent par affecter l'esprit. Et quant à l'esprit, s'il est préoccupé par mille et un problèmes, s'il broie du noir en ce moment, bref s'il n'est pas concentré positivement sur le mandat qui lui incombe, il prendra difficilement l'envol nécessaire. Surtout quand le délai accordé au projet est serré : la création reste un exercice qui demande du temps.

Enfin, la quantité de paramètres stratégiques qui sous-tendent la démarche créative peut constituer une barrière, dans un sens comme dans l'autre. Si le créateur est étouffé par une montagne de données, de statistiques, d'objectifs et de sous-objectifs, de stratégies et de sous-stratégies, il est probable que le produit final ne sera qu'une sous-création! Lorsqu'on veut tout dire à l'intérieur d'un message, on risque que le consommateur ne retienne rien. D'autre part, lorsque le goulot de l'entonnoir stratégique est demeuré large, le positionnement vague, le bénéfice consommateur abstrait, les objectifs imprécis, il devient tout aussi difficile pour le concepteur de chercher l'évocation optimale. «Ce que l'on conçoit bien s'énonce clairement et les mots pour le dire arrivent aisément», affirmait Boileau.

LES SOURCES D'INSPIRATION DU CRÉATEUR

Comment s'alimente le cerveau bouillonnant des idéateurs publicitaires? S'agit-il de la muse qui a insufflé à Bach, à Pascal et à de Vinci leurs grands classiques? De la même mixture qui a permis aux Beatles, à Vigneault et à Marjo de faire triper toute une génération?

Encore faut-il qu'une telle recette existe... Certes, il restera toujours des ingrédients indéfinis dans la potion magique de la créativité. Sinon, ce ne serait pas de la potion magique! Se pourrait-il qu'une bonne portion du mélange consiste en une sensibilité aiguë au monde environnant?

Tentons une description non exhaustive des sources de la créativité, reconnaissant que Bach et Marjo ne boivent pas du même vin, mais partagent probablement les mêmes difficultés à rationaliser les voies de leur *trip*. Tentons de répertorier en deux catégories les stimuli, selon qu'il s'agisse d'influences ponctuelles ou de techniques plus générales visant à catalyser l'idéation.

«Parlez-en en mal ou parlez-en en bien...» Une création intrigante, provocante, voire choquante. Quand la pub n'a pas froid aux yeux. Et quand elle vise à poursuivre son effet même après l'exposition au message.

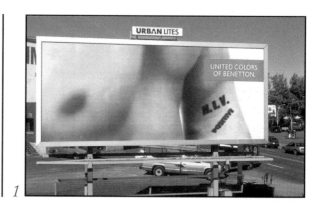

1

Une stimulation extérieure abondante

L'individu créatif, nous l'avons vu, reste constamment éveillé, exception faite des heures de sommeil obligatoires. Éveillé à un environnement qui renferme autant de sources actives de stimulation, comme les répertoires annuels des meilleures pubs, que de sources passives, comme l'article de journal qu'on reluquait tout bonnement avant qu'il nous inspire. Chlak! Et quand on y songe un peu, que de déclencheurs on retrouve autour de nous!

L'actualité et la vie courante

Voilà, de loin, le bassin le plus important de stimulation. Il débute par les grands thèmes de l'actualité et les figures de proue qui animent la politique, le sport et l'événement mondain. Autant d'ingrédients pour des concepts d'antirécession, de libre-échange, de sauvegarde du patrimoine, de survie des phoques, de mouvements pour un oui ou pour un non et d'autres.

Les faits et gestes de la vie quotidienne peuvent aussi déclencher des pistes créatives. Que d'expressions, d'idées, de flashes à puiser au hasard dans un magazine, une séance de pitonnage à la télévision, les mots croisés, l'horoscope bidon, le dernier 007, le mariage de Céline, les pâtés de maman Dion, la dernière sainte colère d'André Arthur, les lignes téléphoniques 1-976, le viol des Nordiques, la débandade des Canadiens, la sortie orageuse de Patrick Roy, les fuites dans le toit du Stade olympique, etc. Nul besoin de forcer les associations d'idées, sachant qu'elles naîtront spontanément dans un esprit en quête d'inspiration.

Les pointes actuelles de notre culture

Oui, que d'images et d'histoires à tirer du magma ambiant. Les expressions et mimiques populaires. Les modes de vie. Les types sociaux : jeune célibataire urbain, décrocheur environnementaliste, réformiste engagé, nouvelle femme libérée, famille à deux revenus sans enfants, etc. Les comédiens en vedette dans des téléromans ou dans des pièces de théâtre à succès. Les acteurs et séquences marquantes des récents *blockbusters* au box-office. Les paroles d'une chanson dans le vent. Les styles musicaux de pointe : *grunge*, *death metal* ou *christian rock*. Les sports *in*. Les tenues vestimentaires dernier cri. Le dernier boom en loisirs. La renaissance des groupes musicaux rétro. La résurrection des sabots et des pantalons à pattes d'éléphants. Le jeu de Monopoly, les quilles, les casinos, le minigolf. La nouvelle manie des enfants à l'école. Le tout dernier courant chez les adolescents. Amen. Bref, une panoplie complète de lampadaires sociaux et d'éclairs latents pour le concepteur allumé.

2 et 3
En télévision, la voix hors-champ annonce que le message contient des scènes de violence. Pendant ce temps, le biscuit tourne paisiblement sur le plateau d'un four à micro-ondes avant de fondre. En affichage, l'impact naît des titres à connotation sensuelle. L'art d'enrober conceptuellement un produit présenté à son état pur, dénué de tout artifice de présentation. Mais l'art aussi de juxtaposer des références ou des contextes inattendus.

Message radio 60 secondes

(1 : novice) :	Aille garçon, viens ici une seconde.
(2 : planchiste) :	Cossé *man* ?
(1) :	Ben dis-moi, jeune homme, hein, on les rejoint comment les pistes de surf des neiges au mont Sainte-Anne ?
(2) :	Euh *man*, si t'es *goofy*, tu *curves* dans *rex* pis si t'es *reg*, ben *ride* dans l'vallon.
(1) :	Ah ! bon. Ben écoute là, mon... *goofy*, y a-tu des pistes pour les débutants, comme moi ?
(2) :	Woin *man*, si tu *rides* avec des *softs*, tu t'tiens sur les *edges* d'la JO *man*, pis *watche* les *hits*, pis *slacke* tes *bindings*.
(1) :	Bon... La meilleure place au mont Sainte-Anne, c'est où, *man* ?
(2) :	En haut *man*, y a un *snow park*. Tape le *walls, spinne* 720 *blind sites too faky man*, c'técœurant !
(1) :	*Spinner*, moi ?
Annonceur :	Même si vous ne connaissez pas tout le jargon des planchistes, vous triperez dans les 34 pistes et le *snow park* que le mont Sainte-Anne offre aux adeptes du surf des neiges cet hiver. Oui, le mont Sainte-Anne, c'est la montagne de tout le monde.
(2) :	Aille *man*, viens-tu avec nous autres essayer la *pipe* ?
(1) :	Euh... la pipe, merci, j'fume pas.
(2) :	Cossé qui dit ?

« Écris-moi des mots qui sonnent, des mots qui résonnent, écris-moi une histoire right on »... et ça va faire un malheur à la radio, man ! À noter, la finale branchée sur le concept, notification heureuse et efficace.

Le bagage accumulé

Les grands classiques de la musique, de la peinture, de la littérature, du cinéma, du théâtre et de la sculpture. La 5e de Beethoven. Le sourire de Mona Lisa. L'étude du corps humain de de Vinci. Le penseur de Rodin. La chapelle sixtine de Michel-Ange. Le boléro de Ravel. *Satisfaction*, des Rolling Stones. *Hello Goodbye*, des Beatles. *Bohemian Rhapsody*, de Queen. Les Jérolas. Les Classels. Pierre Lalonde. Félix Leclerc. Émile Nelligan. Amen. Un immense bagage enfoui dans la mémoire, prêt à refaire surface à tout moment pour une connexion d'idées propices.

La fréquentation de séminaires et d'ateliers

Les expositions, les conférences, les déjeuners-causeries et les galas publicitaires peuvent constituer des occasions privilégiées de ressourcement. Non seulement le contenu peut-il s'avérer enrichissant : les réalisations ailleurs dans le monde, les comptes rendus de recherche sur l'efficacité des techniques, etc., mais la stimulation informelle des échanges recharge elle-même les batteries du créateur branché.

L'observation des consommateurs

Afin d'adresser un message encore plus convaincant à la masse, pourquoi ne pas sortir de sa tour d'ivoire et tenter de mieux comprendre le pourquoi et le comment des consommateurs ? Un publicitaire ne devrait-il pas être sociologue à ses heures, pour que le slogan sonne vrai, pour que la campagne témoignage apparaisse crédible, pour que la clientèle visée s'identifie réellement à la publicité ?

Pourquoi ne pas profiter de ses visites au centre commercial, au supermarché, à la boutique spécialisée, au magasin grande surface ou à la station-service pour observer les réflexes et les habitudes des gens ? Vérifier s'ils lisent les étiquettes ? S'ils comparent les prix. S'ils participent aux concours et aux promotions. S'ils regardent les affiches, les présentoirs ou les kiosques publicitaires sur place. S'ils font l'effort de se pencher vers les tablettes du bas. S'ils demandent l'aide des employés. S'ils se font influencer par leurs conseils. S'ils se font entraîner par leurs enfants. En quoi les hommes et les femmes, les aînés et les jeunes ont des comportements consommatoires différents.

La fréquentation d'endroits inhabituels

Dans cette veine de rapprochement, pourquoi ne pas prendre occasionnellement un bain de foule, pour le simple plaisir de la chose, histoire de recueillir des impressions et alimenter son portfolio mental d'images sociales? Passer du temps dans une gare d'autobus? Aller à un match de hockey, un gala de lutte? Assister à un défilé de mode? Visiter le casino? Faire le tour de l'île en vélo? Skier au Mont-Tremblant? Aller au marché aux puces? Arpenter un campus universitaire? Oser un party au cégep? Se pointer à une vente aux enchères? Essayer un restaurant huppé? Se taper un restaurant minable? Aller dans une église? Sortir dans un bar de célibataires? Participer à un dîner de financement pour une cause sociale? Flâner dans une bibliothèque publique? Aboutir à la salle d'attente d'un hôpital...

De l'actualité courante aux lieux communs, les diverses avenues précédentes constituent des sources passives de stimulation. Le créateur n'y cherche pas de solution précise, il n'y cherche peut-être absolument rien. Néanmoins, l'éclair peut jaillir à tout moment.

Il existe aussi des sources actives de stimulation, soit des procédures que l'idéateur entreprend de plein gré dans l'espoir d'y puiser l'inspiration. En voici deux.

1

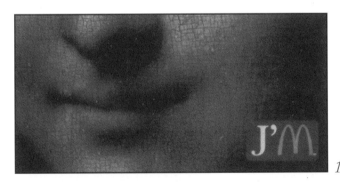

2

3

1
Autre petit chef-d'œuvre...
d'affichage publicitaire.
Concision, concision.
Évocation, évocation, évocation!

2 et 3
Le concept télévisé s'écarte
carrément des sentiers battus.
L'image est forte, épurée. Pas de
skieurs yuppies. Pas de musique
rock. Plutôt, un daim sur fond
blanc, dans l'harmonie des chants
d'oiseaux et des cris de loups.

La consultation de répertoires et de magazines

La bibliothèque de toute agence de publicité et de tout créateur devrait être garnie des multiples périodiques consacrés au domaine, que ce soit en publicité, en design, en photographie, en illustration, en production, etc. Pourquoi ne pas ajouter un abonnement aux principales revues de mode, de décoration et d'actualité? Feuilleter des magazines, à plus forte raison ceux qui sont bourrés de créations publicitaires, nourrit l'imagination. Certains concepteurs font même de ce processus leur mode privilégié de stimulation.

Le jeu du dictionnaire

Les dictionnaires sont les meilleurs amis des écrivains, c'est bien connu. Mais encore! Doit-on conclure que les publicitaires s'efforcent d'y trouver le mot juste? Souhaitons que non, puisque la publicité n'est pas le champ idéal pour cultiver sa prose du dimanche. Mais peut-on stimuler systématiquement l'idéation avec un dictionnaire? Par exemple, choisir trois mots au hasard et réfléchir à leur incidence sur la problématique du moment. Voilà qui serait efficace, bien que l'approche semble rarement employée.

On retrouve néanmoins sur le marché plusieurs dictionnaires spécialisés dont les pages jaunissent rapidement entre les mains des créateurs publicitaires. Tout d'abord, des dictionnaires d'idées suggérées par les mots : on cherche par exemple le mot «trouvaille», on nous dit de voir «invention», puis on trouve sous «invention» plusieurs colonnes de qualificatifs, de substantifs, d'associations collatérales, autant de pistes extrêmement utiles pour polir un slogan ou même faire jaillir des idées.

Pour l'efficacité et la sonorité du langage, les rédacteurs concepteurs consultent également des dictionnaires plus techniques. Dictionnaires de synonymes, d'antonymes, ou encore de rimes. Dictionnaire des bruits ou onomatopées, dont le contenu pourrait éventuellement agrémenter les titres d'une campagne d'affichage extérieur ou plus simplement les textes d'une annonce imprimée. Dictionnaire de mots croisés, qui permet de choisir selon leur longueur et leur consonance les mots d'un titre ou d'une rime.

Comment développer des idées en série?

Bien que les concepteurs publicitaires pointent rarement une quelconque technique pour expliquer leur cheminement de pensée et bien que chaque individu tende à développer au fil de la pratique sa propre recette, on peut regrouper sous deux grands chapeaux les catalyseurs de la phase active d'idéation.

La réaction en chaîne

Le brainstorming (ou remue-méninges) demeure l'approche la plus connue et probablement la plus utilisée pour donner vie à des familles d'idées. Cette technique se base sur l'hypothèse maintes et maintes fois vérifiée que la réunion positive et bien encadrée de plusieurs têtes multiplie au centuple la productivité. Dans sa version officielle, le remue-méninges encourage la participation d'une douzaine de personnes. Mais dans une agence de pub, on ne réunit généralement en brainstorming créatif que le personnel de création affecté au mandat. Deux créateurs, peut-être trois ou quatre, engagés dans une sorte de match de ping-pong.

À vos marques, prêts, partez! La séance de remue-méninges s'ouvre avec la première idée émise. Sa formulation demeure concise, quelques mots ou quelques phrases à peine, puisque les détails importent peu à ce stade. Les autres membres du groupe (ou le seul autre membre s'il s'agit d'un tandem directeur artistique-concepteur-rédacteur) sautent alors sur cette piste comme des amants excités et tentent de lui donner suite. Grâce aux réactions de l'équipe, la première avenue pourra mettre au monde deux, trois ou cinq rejetons, qui seront tour à tour relancés dans la mêlée. Naîtront alors de quatre à 25 idées, à leur tour jetées dans l'arène multiplicative. Et ainsi de suite.

Peu importe si le mouvement est continu ou en saccades (il est normal qu'un entonnoir s'épuise : on patiente alors quelques secondes ou quelques minutes avant que ne surgisse la prochaine piste), la synergie du groupe rend possible une multiplication exponentielle des possibilités. Il est cependant essentiel que chaque participant veuille enrichir les idées des autres plutôt que de peiner en solitaire. Il faut aussi s'abstenir de juger, à ce stade, si une idée apparaît bonne ou réaliste, et rien n'est moins simple dans le feu de l'action. Toutefois, du renforcement positif et de la non-censure naît la productivité, ça c'est prouvé !

Quand le climat de travail comporte peu d'anicroches et que la problématique a été posée de façon digestible, les résultats d'un brainstorming de créatifs parlent d'eux-mêmes. En quelques heures à peine, un quartier complet d'idées aura été défriché, laissant probablement au passage quatre ou cinq avenues dignes d'être qualifiées de... géniales !

Une brillante campagne, probablement issue d'un remue-méninges sur les avantages de consulter un avocat, et où l'on s'est rendu compte que bon nombre d'expressions populaires sur le sujet avaient un potentiel visuel impressionnant. De fortes images en ont résulté, des images extrêmement évocatrices et bien réalisées. La complémentarité avec le texte est parfaite : on ne répète même pas le nom de l'objet dans le titre tellement l'image le met en valeur.

La recherche d'associations d'idées

La seconde catégorie de techniques sous laquelle on peut ranger bon nombre de démarches créatives se nomme officiellement « pensée latérale », bien que cette appellation demeure à peine connue. Démystifié par le psychologue, professeur et conférencier Edward de Bono, le principe de pensée latérale consiste à réorganiser les choses et à tisser des relations sans qu'il n'y ait nécessairement de cheminement rationnel entre le point de départ et le point d'arrivée.

Par exemple, à partir du mot « restaurant », on pourra aboutir au fait de rester dans les rangs (« reste au rang »), donc au conformisme et à l'anticonformisme, à John Lennon, à Hendrix, au mouvement hippie des années 1970, au soldat révolté, à l'esclave libéré, à la télésérie *Racines*, etc. Repartant à zéro, on peut penser au désir du couple d'aller au restaurant, au nourrisson qui a pleuré plusieurs nuits durant la semaine, à la nourriture régurgitée de bébé, au soulagement de maman enfin arrivée au restaurant, etc. On peut aussi penser à fourchette, couteau, vaisselle huppée, nombre de services, Andre Agassi, Wimbledon, etc. On peut penser à chef cuisinier, chapeau de chef, chapeau de cow-boy, haut-de-forme, Arsène Lupin, etc.

À partir du mot « pizza » et du mandat d'annoncer que ce mets italien est désormais offert dans les restaurants McDonald's, on peut songer à une campagne qui deviendra célèbre en substituant les z par des m. Suffit de tourner assez longtemps autour des mots-clés de la problématique pour établir l'analogie entre la lettre z et la lettre m. Suffit aussi d'avoir une idée de génie...

Le développement créatif découlant d'associations d'idées constitue une boîte à surprises intarissable. Et d'un usage polyvalent. Le mécanisme convient d'une part au remue-méninges en groupe, où l'enchaînement des idées par les participants peut bénéficier des associations les plus diverses et les plus surprenantes. Le principe de pensée latérale offre également l'immense avantage de pouvoir s'exécuter individuellement, puisqu'il fournit un cadre de réflexion dont la structure, une fois mise en pratique, peut alimenter un créateur pendant belle lurette. Il ne serait pas surprenant, d'ailleurs, que ce jeu d'associations demeure actif, à l'insu même des créateurs, pendant les phases de gestation où le projet continue de germer dans leur esprit, sous la stimulation des gestes petits et grands de la vie courante.

Un visuel connu qui accroche instantanément et propulse une note d'inconnu (ski) reprise avec efficacité dans les titre et sous-titre. Un concept habilement puisé d'une association d'idées entre le mot ski et la consonnance du nom de famille de plusieurs hockeyeurs russes venus ici pour apprendre...

Sur quoi s'articulent les concepts d'évocation?

La création publicitaire a beau relever d'un avant-propos stratégique longuement planifié, elle n'en demeure pas moins un acte spontané. Les objectifs de communication et le positionnement bien en tête, le concepteur plonge vers l'inconnu. Certes, son expérience pourrait lui permettre de court-circuiter l'effort créatif. Certes, il pourrait orienter d'avance sa réflexion vers un processus d'évocation plutôt qu'un autre. Mais ce serait trahir la véritable démarche créative.

Voici comment s'articulent, le plus souvent, les concepts d'évocation en publicité, en réaffirmant cependant que la majorité des concepteurs ne se cloisonnent pas d'avance et préfèrent flirter avec les joies de l'exploration de chaque nouveau mandat. L'évocation s'appuie soit sur l'univers du produit ou de son consommateur, soit sur l'univers tout court, pardon, tout large!

S'ils reposent sur le produit ou sur son consommateur

La première catégorie de concepts met en valeur le produit lui-même, ou l'utilisateur du produit.

L'expression directe d'un bénéfice

Voilà l'approche privilégiée par les communicateurs qui craignent la distraction pouvant résulter de concepts trop audacieux, une approche très souvent employée dans les publicités américaines. Il s'agit de canonner le principal avantage lié à l'utilisation du produit ou du service. S'il s'agit d'une publicité imprimée, la mention de cet avantage apparaîtra de manière flagrante dans le titre du message qui inclura, dans bien des cas, le nom du produit, ainsi que dans le visuel, qui sera probablement constitué d'une photo d'un utilisateur avec le produit bien en mains. S'il s'agit d'une publicité électronique, la démonstration du bénéfice occupera un espace dominant à l'intérieur des 10, 15, 30 ou 60 secondes, telle une publicité vérité.

Une analogie basée sur le bénéfice

Voilà une approche gagnante fondée sur la prémisse qu'une figure de rhétorique bien exploitée amplifie la force du message. Pour signifier qu'un détergent lave blanc, on peut imaginer un blizzard typique du mois de janvier. Pour témoigner qu'un événement a de l'envergure, on peut dompter un éléphant. Pour démontrer qu'un cooler a meilleur goût s'il est bien brassé, on peut mettre en scène un patineur réussissant une triple boucle piquée, ou un maître d'hôtel faisant une double vrille à partir d'un tremplin olympique.

Une façon publicitaire d'inciter les gens à visiter l'exposition. Plutôt que de suggérer passivement les beautés à découvrir, ce message adopte une formule active, voire interactive. Même la mise en page force le lecteur à constater qu'il sait probablement peu de choses sur le sujet.

Riche est la gamme des figures de styles. Diversifiés apparaissent donc leurs champs d'exploitation, d'autant plus qu'une figure de style possède, en soi, la qualité publicitaire de laisser une trace distinctive, mémorable. On se souvient plus aisément d'un blizzard, d'un éléphant ou d'une triple boucle piquée que de la description factuelle des bénéfices sous-jacents.

La personnification du produit ou du service

Une analogie efficace et durable peut être construite en personnifiant l'avantage premier ou l'axe sous lequel on souhaite véhiculer le produit. Pour symboliser la fiabilité absolue d'un pneu, on a créé le Bibendum Michelin. Pour témoigner de la performance d'une essence, on a dompté le tigre Esso. Pour signifier l'engagement sympathique des concessionnaires, on donne vie au p'tit bonhomme Nissan. Et il existe bien d'autres exemples.

En plus d'accroître le potentiel persuasif en atténuant les barrières de non-réceptivité chez le consommateur, l'association d'un produit ou d'un service à un personnage symbolique agit comme un élément supplémentaire de reconnaissance et de distinction. Il demeure plus facile et plus attrayant de retenir l'allure d'un personnage que le slogan d'une marque, d'autant plus que cet individu ne devrait rencontrer que peu de compétiteurs de forme à l'intérieur de sa catégorie. Quelle association de concessionnaires automobiles répliquerait au bonhomme Nissan par un pantin de style similaire?

La personnification revêt donc toutes les forces d'une analogie, en plus de pouvoir évoluer pendant de nombreuses années au rythme du mandat.

1
La montée fructueuse d'un apprenti joueur de hockey, ou la mise en valeur de nos racines dans une symbolique de dépassement beaucoup plus touchante que si le président de la compagnie avait lui-même livré le message. Belle mise en scène télévisée tirée de notre publicité d'hier.

2
Autre belle mise en scène télévisée tirée de notre publicité d'hier. Un silencieux fiable, c'est tout comme si l'équipe de Speedy vous suivait pas à pas. Très publicitaire, très humain.

3
Une exécution séduisante moulée à son format vertical. Pas même de slogan. Comme quoi, en affichage, une idée simple peut décupler son impact grâce à la dimension du support.

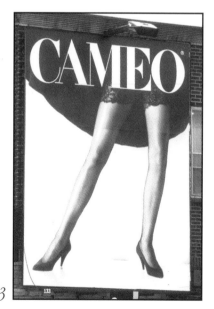

Un gros plan sur une composante

Il est également très publicitaire de concentrer l'attention sur un aspect, à savoir donner l'avant-scène à un mot ou à une image, plutôt que de diluer le message en tentant de mettre en valeur trois ou quatre arguments simultanément.

Faire un gros plan consiste à épurer le décor pour ne retenir qu'un élément révélateur. Montrer le châssis robuste d'une caméra pour témoigner de sa durabilité. Présenter la spécificité d'une infime pièce de voiture pour véhiculer la qualité du tout. Le gros plan peut également se traduire par l'amplification d'un avantage lié au positionnement. Montrer que les commandes d'une caméra sont si faciles à manipuler que même un boxeur muni de ses gants encombrants pourrait y arriver.

Une histoire sur l'utilisation

Raconter la simple histoire d'un consommateur en train d'utiliser le produit peut mener à de petits chefs-d'œuvre d'efficacité créative, pourvu que l'on sache amplifier ou scénariser correctement les faits saillants du récit. Publicitairement parlant, la présence d'une histoire ou d'un vécu laisse des marques concrètes, actives, plus facilement assimilables et mémorisables par les consommateurs.

Le témoignage d'une femme bon chic bon genre devenue quasiment hystérique après avoir gagné à la loterie. L'aventure d'un prétendant, incarné par Michael J. Fox, remuant ciel et terre pour dénicher une canette de Pepsi à sa jolie voisine de palier. Le quotidien d'une mignonne bricoleuse, en train de rafistoler les essuie-glaces de sa voiture, et utilisant l'interurbain pour demander conseil à son pôpa. La saga de gens de mauvais poil, parce qu'ils n'avaient pas pris leur Nescafé ce matin-là. Voilà autant de témoignages d'efficacité pour l'approche. À preuve, plusieurs années après la diffusion de ces messages, on s'en souvient encore.

Message radio 60 secondes

Narrateur :

Est-ce que la fonction *66 de Bell peut vraiment changer votre vie? La réponse est oui. Par exemple : vous essayez de rejoindre cette jeune femme très indépendante qui vous plaît tant. Comme d'habitude, la ligne de Mademoiselle est occupée. Très bien. Décrochez et composez *66. Pendant 30 minutes, la fonction *66 va attendre patiemment que sa ligne se libère et vous avertira dès que ce sera fait. C'est pratique, disponible à même votre ligne, et, surtout, ça ne coûte que 50 cents. Vous pouvez maintenant profiter de ces précieuses minutes pour... repeindre le salon par exemple. Ou écrire un best-seller. Le faire publier. Voyager. Donner des conférences un peu partout. Et là, vous rencontrez la femme de votre vie, vous avez cinq, six enfants tout blonds, brillants et pétants de santé; c'est le bonheur total. Et juste au moment où vous vous dites que la vie, c'est génial... (sfx : sonnerie) la ligne de Mademoiselle se libère! Vous ne l'aviez pas déjà oubliée, j'espère?

Annonceure :

La fonction *66 de Bell. Seulement 50 cents, seulement quand vous l'utilisez.

Un palpitant voyage dans l'espace et dans le temps, qui se traduit par autant d'images dans la tête de l'auditeur. L'exagération sympathique ajoute certes de la vie au concept.

Une conséquence reliée au bénéfice

Misant également sur la rétention accrue que provoquent les démonstrations concrètes, une autre approche très publicitaire consiste à montrer de façon tangible, voire amplifiée, la qualité de vie améliorée d'un consommateur utilisant un produit ou un service x. Une automobile a été redessinée avec des lignes plus compactes? On pourra dorénavant ranger la table de ping-pong, la tondeuse et l'ensemble de patio dans le garage. Une automobile incarne la stabilité? On pourrait pratiquement rouler sur trois roues en cas de crevaison. Le service de transport en commun emprunte des voies réservées et n'effectue que des arrêts restreints? On pourra enfin se lever plus tard et arriver à l'heure au bureau.

Pour être percutante, la conséquence bénéfique de l'emploi du produit doit rejoindre une motivation réelle chez le consommateur, tout en étant exprimée de façon dominante.

Une histoire sur l'utilisateur

Plutôt qu'affirmer candidement qu'un nettoyant à planchers brille d'efficacité, pourquoi ne pas raconter l'histoire de la nonne astiquant religieusement les bancs de l'église avec son produit miracle? Plutôt qu'un comédien en voix hors-champ s'époumone à dire qu'un sac à ordures est plus résistant, pourquoi ne pas montrer la scène du garçonnet assénant un bon coup de pied sur le sac, après s'être tapé l'agréable tâche d'amener au chemin les ordures?

Non seulement la mise en scène d'un utilisateur donne lieu à une démonstration tangible, donc plus mémorable, mais l'exploration du portrait-robot de l'utilisateur fournit en soi une solide plate-forme créative. Les stéréotypes de son style de vie, de ses habitudes familiales, de son train-train professionnel et même de sa tenue vestimentaire constituent autant de pistes d'idéation, surtout qu'elles aboutiront à des références auxquelles le consommateur s'identifiera.

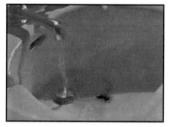

1a

1b

1c

1a à 1c
L'impact-choc de ce message télévisé est créé par le contraste tranchant entre la douce chanson de Marjo en trame sonore («La fureur de vivre des amoureux») et les images fortes de violence conjugale. Pas de narration supplémentaire, l'histoire et la musique en disent déjà énormément.

2
Une approche très publicitaire, malgré son petit format dans les quotidiens, pour renforcer l'idée que le chocolat est un cadeau toujours apprécié. Quand la pub lave plus blanc! Et quand le titre dit tout.

2

S'ils sont projetés dans tous les azimuts!

Au-delà des analogies et des aventures basées sur le bénéfice d'utiliser un produit ou un service, on retrouve une seconde catégorie de concepts qui s'inspirent plutôt de toute lumière pouvant jaillir de l'univers...

L'expression d'un fait ou d'une tendance à la mode

On entend souvent que les publicitaires ne créent pas de courants sociaux, mais qu'ils semblent par contre doués pour faire du surf sur le haut d'une vague au moment où elle passe.

Avec des antennes branchées sur le tissu social ambiant, l'idéateur est à même de *repiquer* et de *mettre en valeur*, oserions-nous dire d'*amplifier* les faits et gestes populaires. Reprendre le rôle ou le personnage d'une vedette de téléroman.

Parodier le mode de vie d'une tranche de la population. S'inspirer des péripéties de madame Brossard de Brossard. Imaginer des solutions antidéficit pour signifier l'aspect économique d'un produit. Utiliser telle séquence musicale ou telle personnalité sportive lorsqu'elles parviennent au sommet de leur popularité. Un esprit attentif à la culture pourra imaginer au besoin mille et une applications publicitaires issues de la vie quotidienne.

Une expression populaire

Bien qu'elle soit présentée dans une branche distincte, la formulation de concepts publicitaires utilisant des expressions courantes s'inspire directement de l'arbre précédent. Et en raison de leur omniprésence dans la vie de tous les jours, il est

1

2

3

1
Un classique du petit écran, dont la popularité n'a d'égale que sa notoriété et le chiffre de ses ventes. Double humour : l'esprit de Meunier s'enrichit du clin d'œil humoristique que fait chaque concept à l'égard d'une mode, d'un phénomène social ou d'une figure de proue de notre petite vie. Un témoignage irréfutable de la force d'un marketing axé sur les styles de vie des consommateurs.

2
Brio d'exécution en affichage extérieur, ce message du temps des fêtes prend toute sa force par l'évidence du jeu de mots et du choix de couleurs.

3
Qu'il fasse partie du texte ou du visuel, la répétition d'un élément accroît généralement son efficacité communicationnelle et l'intérêt porté au message. C'est le cas ici, où le visuel poilu n'est pas pour autant touffu.

peut-être encore plus facile de se laisser inspirer par des expressions plutôt que par des comportements. On raconte que le slogan « Lui, y connaît ça », joyau des campagnes publicitaires de Labatt 50 au début des années 1970, était issu tout droit d'une conversation de brasserie. Le slogan « Terrible, terrible, terrible », savoureusement véhiculé par Claude Meunier lors d'une non moins savoureuse campagne de Pepsi, était-il inventé ou emprunté?

Les expressions populaires se retrouvent parfois intégralement dans les titres ou slogans. Parfois, on substitue un mot ou deux pour permettre une meilleure évocation du positionnement tout en préservant l'air de famille de la formulation originale. « En avril, ne te découvre pas d'un Dim. »

La répétition d'un élément

Se rangeant également au rang des figures de rhétorique qui bonifient la rétention publicitaire, la répétition d'une formule favorise l'esthétique de la mise en scène et crée une attente qui prédispose à l'argument clé.

Considérons par exemple une formulation répétée deux fois à l'intérieur d'un texte, avant d'introduire, la troisième fois, l'essence du positionnement. Un mot repris deux fois dans le titre : « Quand on est pro, on est pro Mazda ». Une image reprise plusieurs fois pour signifier l'abondance. Un visuel dont seulement une partie se répète, proposant, dans sa seconde version, une vision améliorée de la vie grâce à l'usage du produit. Un mot qui se répète, mais sous des graphies différentes : « Tellement bon qu'on fait des bonds. »

Pure ou assaisonnée, la répétition est gage d'attention. Pure ou assaisonnée, la répétition est gage d'attention.

La force des constrastes

Juxtaposer deux ou plusieurs éléments apparemment disparates crée un déséquilibre qui fait grandir l'intérêt porté à la pub. Voilà une figure de rhétorique au large potentiel, puisqu'elle peut s'employer de plusieurs façons.

L'opposition verbale. « Petite en grand ». « La douce violence ». « Loin des yeux, près du cœur ». « Dur avec la saleté, tendre avec les couleurs ». « Ouvert pour cause de vacances ». Autant d'exemples de titres dont l'attention est rehaussée par le choc des contraires.

1 et 2
Le contraste doublement percutant des couleurs éblouit le regard. L'envoûtement se concrétise dans la parfaite réciprocité des mises en page et des titres inspirés. Comme quoi même la couleur du produit peut donner naissance à des concepts dominants, surtout à l'intérieur d'un magazine où la qualité de production fait loi.

La démarche à contre-courant. Si tous les messages de bière à la radio misent sur un son rock, pourquoi ne pas choisir Andrée Lachapelle comme narratrice sur un fond de classique? Si un périodique de mode est rempli d'annonces en quadrichromie, pourquoi ne pas opter pour le noir et blanc? Bref, briser le code actuel du domaine.

Affirmer le contraire. Commencer une annonce d'automobile en spécifiant qu'il s'agit d'une «offre sans grand intérêt»... pour dévoiler subséquemment que le taux d'intérêt sur le financement est plus bas que bas. Montrer une photographie de clochard fouillant dans une poubelle et titrer : «Il y a des gens qui mangent à l'extérieur tous les soirs». Surpris de recevoir exactement le contraire de ce qu'il attend, le récepteur abaisse peut-être ses défenses, examine la pub et chlak! Il capte de plein fouet son contenu véritable.

L'opposition globale. Demi-sœur du principe précédent, cette association renforce l'idée des contrastes en l'appliquant aux couples de matériaux qui forment le message : texte et visuel, musique et image. Présenter à l'écran des séquences de guerres et de catastrophes naturelles pendant que la trame sonore joue l'air de la chanson «C'est beau la vie».

Une intrigue résolue plus tard

Une manière très publicitaire de livrer le message est de le décomposer en deux temps. La première phase consiste en une évocation forte, spectaculaire, mais pourtant incompréhensible. À cause de la formulation étrange ou incomplète, et surtout puisque le message n'est pas signé, on ne peut décoder sa signification. Imaginons des panneaux-réclames où est écrit en gros caractères le mot «Flog». C'est ce qu'on appelle la phase

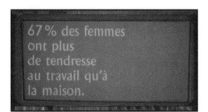

Pendant deux semaines sont affichées des phrases intrigantes relatant de nombreuses expériences émotives au travail. L'impact publicitaire est considérable : même le quotidien La Presse *reproduira un des panneaux-intrigues en posant la question : «Qui peut bien être l'annonceur?» Deux semaines plus tard, le logo et la signature des stations de radio Rock-Détente apportent la réponse. Une campagne hot, où le bénéfice lié au produit est poussé un cran plus loin.*

intrigue ou *teaser* d'une campagne : l'appel est provocant, il crée l'attente de la solution.

Peu de temps après la parution de l'évocation intrigante, généralement deux semaines plus tard, le message complet est enfin dévoilé. «Golf. C'est pourtant facile de ne pas se tromper». L'effet communicationnel est assuré, à condition, cependant, de ne pas brûler le processus par surutilisation.

La reprise

Bien qu'une idée affirme généralement sa force en elle-même, son évocation peut prendre beaucoup de panache dans la multiplicité de ses exécutions, qu'elles soient simultanées ou échelonnées au fil du temps. Quant la veine créative est large, il est vrai qu'un fleuve de concepts peut en découler. Voilà d'ailleurs une recette souvent primée par les concepteurs.

L'important reste de s'assurer que chaque version spécifique active le courant plutôt que d'en diluer la source.

Une évocation dominante

Listée au rang des plates-formes d'articulation créative, cette catégorie devrait probablement mériter une admission à vie au match des étoiles de la publicité, tellement son principe apparaît justifié. Concenter l'attention. Synthétiser le discours. Faire surgir un tremplin d'évocation.

Qu'elle soit véhiculée par l'action, l'image, la couleur, le son, le format média ou le jeu des mots, une évocation dominante accroît définitivement l'efficacité publicitaire.

1
Une pleine page en quadrichromie dans un environnement média foncièrement noir et blanc, à savoir l'hebdomadaire culturel Voir. *La couleur frappe de plein fouet, reprise conceptuellement par le slogan «Roulez en couleurs».*

2 à 5
Plusieurs versions différentes s'additionnent pour montrer comment les vedettes de Rock-Détente agrémentent le quotidien au bureau. C'est dans la variété des exécutions et leur air de famille que ce type de campagne prend force. Les couleurs sont contrastantes et visibles; par contre, tout comme l'idée maîtresse, elles traduisent moins l'émotion du produit que la campagne intrigue-réponse présentée précédemment.

En dire moins pour en signifier plus

L'épuration publicitaire a meilleur goût, c'est bien connu. Cela permet à l'ingrédient clé d'occuper tout l'espace qu'il mérite, plutôt que de partager le podium et de perdre de la force.

Mais qu'en est-il d'une épuration excessive? Une annonce vide occupant une pleine page d'un quotidien, avec en son centre en petits caractères : «Il y a place chez nous pour des candidats ambitieux». Un message radio composé de 25 secondes de silence, puis une conclusion de cinq secondes : «Voilà à peu près ce que ressentent à tous les jours les handicapés visuels. Donnez!» On voit aisément qu'il s'agit d'une recette fort percutante, lorsque employée judicieusement.

Message radio 30 secondes

Annonceur :	Écoutons des cultivateurs nous décrire leur Budweiser
Musique 20 s :	Musique, cloche à vache, vaches, moutons et coq!
Annonceur :	Bud et Bud légère, coulée dans le rock
Musique :	Accord final

Un message épuré nature! Très peu de mots, un lit musical et sonore créant à lui seul les évocations. Une sorte de panneau-réclame radio!

1
Plutôt que de miser sur des spécifications techniques qui n'intéressent sans doute que les mordus au masculin, ce message a été développé sous forme de publireportage par les éditeurs du magazine féminin où il était destiné, de manière à mieux rejoindre les intérêts des lectrices visées.

2a et 2b
Utilisation créative de la quotidienneté des quotidiens. Au fil des parutions, de plus en plus de bandeaux « vendu » s'ajoutaient sur les chaises, accentuant par un concept visuel attirant et vendeur, la note d'urgence transmise aux skieurs.

Une utilisation opportune du média

«The medium is the message», proclamait il y a belle lurette Marshall McLuhan. Plus que le mentra d'un visionnaire, cette pensée constitue bel et bien une réalité, particulièrement aujourd'hui où l'arsenal des médias ne cesse de se diversifier pour rejoindre des besoins et des segments de consommateurs de plus en plus spécifiques.

L'utilisation inventive des médias peut se traduire de bien des façons. D'abord, on peut concevoir de nouveaux supports pour mieux véhiculer notre message. Par exemple, les enjoliveurs de roues des autobus pour supporter la loterie Roue de Fortune.

On peut aussi faire appel à des formats inusités ou songer à de nouvelles utilisations des médias existants. Tous les bas de page d'un magazine. Trois pages cachées derrière la une qui se déplie en deux par le centre. Ou encore, un mouvement décomposé sur toutes les affiches consécutives d'un quai de métro, mouvement qui sera reconstitué par la vitesse de passage du métro à l'intérieur duquel on regarderait les dites affiches. L'impact d'un média inventé ou réinventé apparaît indéniable, surtout si l'application renforce le positionnement du produit ou du service.

Enfin, il est du devoir créatif de tirer profit de la relation qui unit le récepteur à son média. Afficher «Fraîcheur excessive» sur l'arrière d'un camion de livraison de fruits et légumes. Titrer «Restaurant très allumé» sur les cartons d'allumettes d'un bistro branché. Apprivoiser l'environnement éditorial d'un magazine ou d'un quotidien, afin de s'assurer que le message attire les lecteurs grâce aux mêmes cordes sensibles qui guident ceux-ci à la lecture de ce média spécifique. En capitalisant sur le style de vie de l'auditoire d'un média, une partie de la communication se véhicule d'elle-même.

L'humour

Voilà un style particulièrement affectionné par nos publicitaires, malgré les mises en garde répétées de plusieurs recherches qui ont montré, noir sur blanc, les dangers liés à ce genre de stimuli. Si l'humour détient la capacité évidente de distraire, possède-t-il également la capacité de faire vendre?

Nonobstant la recherche, les campagnes publicitaires sur un ton d'humour tombent systématiquement parmi les préférées des gens d'ici. Les Québécois rejettent les dominateurs qui claironnent des impératifs à la deuxième personne du pluriel («Faites ceci», «Communiquez avec nous sans tarder», etc.). De même, les Québécois mordent plus ou moins aux arguments rationnels que servent les collègues publicitaires de Toronto et de New York. Morale : les consommateurs d'ici s'attachent plus volontiers aux annonceurs qui savent se rendre sympathiques, par un discours plus décontracté, plus émotif. Il reste d'ailleurs évident que les Québécois aiment l'humour tout court, à en juger par la quantité et la qualité des humoristes qui se pointent chaque semaine aux différents talk-shows de notre petit écran.

Farce à part, il y a par contre humour et humour. Il y a d'une part, celui qui s'intègre habilement à l'intérieur du scénario, tel un élément d'accroche supplémentaire, venant rehausser la finale du message à quelques secondes de la signature de l'annonceur. Pensons au chien qui tousse lui aussi parce que toute la maisonnée a la grippe, ou encore à Candice Bergen qui lance «Ti guidou, mon minou»: 1-0 pour l'humour.

L'humour se décante d'autre part dans le choix même des porte-parole. Normand Brathwaite associé à Réno-Dépôt. Stéphane Rousseau à Cantel. Jusque-là, seuls les comédiens sont drôles. Mais dans les messages de Pepsi, l'histoire semble aussi songée que Claude Meunier... Heureusement, une fois le message diffusé, on se souvient qu'il s'agissait bien d'une annonce de Réno-Dépôt plutôt qu'une autopromotion de *Piment fort*, et une de Pepsi plutôt qu'une autopromotion de *La petite vie* : 2-0 pour l'humour.

Une troisième forme d'humour consiste à véhiculer un ton de communication résolument sympathique pour contrer le fait que l'annonceur apparaît plus ou moins antipathique aux yeux de la population. Comme les messages de Bell par exemple. Pas de farces à se taper sur les cuisses, mais plutôt un style qui fait sourire sans prétention : 3-0 pour l'humour.

Enfin, et hélas, l'humour peut voler la vedette et faire en sorte qu'on ne retienne absolument pas le positionnement du produit, encore moins le nom de l'annonceur : 3-3, tellement les conséquences sont graves. Est-ce le type d'humour qui est en cause? La catégorie de produit inappropriée pour pareil traitement? L'effet vampirique trop mordant? Faudra un jour publier les résultats de l'enquête!

Un dialogue intime texte/visuel

Une relation étroite entre un titre et une image, une mise en scène et une trame sonore, peuvent décupler le pouvoir de la communication résultante. Comme un couple âgé qui n'a plus à se relancer tellement la compréhension règne, chaque matériau créatif exploité à son maximum fait un clin d'œil à sa contrepartie. Le titre qui dit: «Avant d'en frapper un», le visuel qui montre un mur. Aucune redondance. Synergie parfaite. Épuration, surprise, renforcement.

1

2

1
Une formulation rythmée, jouant efficacement sur les mots; l'exécution visuelle intelligente renforce le message sans en allonger le décodage.

2
Surprise! Ce message télévisé emprunte le code des petites annonces sur le canal télévisé de l'immobilier, reprenant à merveille tous ses stréréotypes. Un contenu banal débanalisé et propulsé par la forme de son contenant.

L'emprunt d'un style de communication

L'évocation publicitaire est parfois recherchée, paradoxalement, par l'utilisation de références spontanément associées à une autre catégorie de produits. L'impact naît alors de la surprise associée au changement de registre. On conviera des gens à une vente de meubles, par une envolée de jazz en Nouvelle-Orléans. On présentera un spécial sur les hamburgers doubles comme un affrontement entre deux cow-boys bien cuits du far-west.

Ce type d'approche revêt encore plus d'efficacité quand la catégorie de produits au complet fait appel au même code publicitaire, comme c'est le cas des messages de détergents limpides dans la tradition. Ah! les vêtements du petit Nicolas qui redeviennent impeccables grâce à... Sale histoire! À quand une pub de détergent qui lessivera tous les clichés publicitaires sur son passage?

Le jeu d'un porte-parole

Dernière avenue recensée ici, mais non la moindre : la publicité québécoise fait régulièrement appel à une légion de vedettes chéries pour vanter les bénéfices de ses produits préférés. Si on désigne parfois un porte-parole pour le bagage et l'expérience qu'il dégage, par exemple Albert Millaire, ou encore à cause de ses performances (de Myriam Bédard à Patrick Roy), la plupart des porte-parole actuellement utilisés semblent l'être davantage pour leur attrait (Claude Meunier, Benoît Brière, Stéphane Rousseau, Dodo, Macha Grenon, Francine Ruel, Normand Brathwaite, etc.).

Charme ou vécu, tous les porte-parole confèrent une touche de crédibilité au produit ou au service annoncé, et ce, même si le ton adopté est emprunté à l'humour. En contrepartie, les porte-parole peuvent entacher l'image des produits si eux-mêmes ou elles-mêmes sont mêlés à des scandales.

Comme toute approche créative, l'usage d'un porte-parole peut être synonyme d'efficacité s'il incarne la distinction dans l'univers du produit annoncé. Mais quand tous les annonceurs se font la guerre à coups de porte-parole, où réside la véritable force distinctive qui plaît tant aux idéateurs?

Un humoriste doué qui interprète lui-même tous les rôles de la série, de la mère poule au beau-frère campagnard. Le décor est totalement épuré, pour laisser toute la place à Monsieur B. Voilà un grand classique, déjà, de la publicité au Québec, qui a bâti sa notoriété au fil du temps et des exécutions. Une chimie magique entre un style de réalisation et un style de vie.

ALORS, DOCTEUR ?

Il y a des choses qui changent. Beaucoup même. Il y en a d'autres, trop belles ou trop vraies pour disparaître. La définition d'une bonne idée publicitaire, les sources d'inspiration du créateur, les plates-formes sur lesquelles s'articulent les concepts d'évocation sont autant de pivots qui demeurent, peu importe le passage des années. La pub demeure la pub.

Comme les modes qui changent cependant, selon les courants et les contre-courants d'influence, les styles publicitaires changent eux aussi. Il y a 20 ans au Québec, on n'hésitait pas à titrer une campagne destinée aux gens d'affaires «Oui monsieur». Il n'y a pas si longtemps, les pubs télé américaines étaient davantage reconnues pour le gigantisme de leur budget que pour leur brio créatif. Aujourd'hui, notre pub fait généralement attention au sexisme. De nos jours, même les Américains commencent à se creuser les méninges pour faire plus avec moins.

Ce qui laisse une porte grande ouverte à la création de demain. Puisque la vie évolue et que la pub s'inspire de la vie, les sources d'évocation publicitaire ne tariront jamais.

La force évidente réside dans le titre-message, qui emprunte la devise du Québec, donnant instantanément beaucoup de vécu à l'annonceur. Selon la philosophie de mondialisation des communications prônée maintenant par certains clients comme certaines agences, il serait intéressant de voir comment cette campagne pourrait se dérouler ailleurs...

PARTIE 2

*L'ACCOUCHEMENT
D'UNE PUB*

Dans cette partie, l'auteur explique comment la création sert à résoudre un problème de communication en se raccrochant à une stratégie. Il décrit ensuite sommairement comment les «idées» sont menées à leur terme en se transformant en message au cours d'un processus dit de production.

PARTIE

2

L'ACCOUCHEMENT D'UNE PUB

L'orientation stratégique

Sauf exception, une grande idée naît rarement sans avoir été critiquée, manipulée, réenfantée, dorlotée et ce, jusqu'au produit fini. Voici le A à Z créatif d'une campagne conçue au printemps 1995 pour Nautilus Plus, cherchant à recruter de nouveaux membres grâce à l'attraction d'un rabais de 150 $ sur l'abonnement annuel. La clientèle visée avait entre 18 et 49 ans, homme ou femme, active dans l'âme, soucieuse de bien se sentir et de bien paraître en période estivale. Question de montrer les bénéfices du produit, différentes formes d'affichage constituaient la sélection médias : panneaux arrière des autobus, affiches à l'intérieur des wagons de métro, affichage sauvage, ainsi qu'annonces dans le réseau Zoom Média.

L'idéation

Après l'exposé du client et la synthèse interne du chargé de compte, la première idée à émerger du tandem directeur artistique et concepteur-rédacteur jouait essentiellement sur le côté imbattable du rabais. D'où le titre et le visuel pour le moins catégoriques. Bien que le message véhiculé était certes incitatif, le concept fut rejeté par le comité de planification. Les gens se sentent probablement coupables de ne pas être en forme, ce n'est pas en leur tapant dessus qu'ils décideront de se prendre en main, bien au contraire.

Curiosité de l'industrie de la pub, une idée très similaire fut utilisée en affichage quelques mois plus tard à Montréal par un annonceur d'un tout autre domaine. Faut croire que les concepts et les concepteurs circulent...

Dans un souci de vivre et de laisser vivre, le nouveau concept en deux exécutions complémentaires valorise le fait que l'activité physique est bénéfique pour tout le monde. L'idée fait sourire, y compris le chargé de compte. On discute même de variantes : grands gros et petits maigres plutôt que l'inverse. Mais l'absence de visuel laisse un certain inconfort, c'est pourquoi l'équipe de création décide de revoir le tout.

L'idée suivante revient un peu à la source en concentrant ses efforts sur la force du rabais, par un clin d'œil entre le titre et le visuel. Certes, la communication est claire, mais le chargé de compte aime moins le fait qu'on mette en valeur un biceps dans une posture macho.

La piste fait cependant boule de neige dans l'esprit du directeur artistique. Le 150 $ de rabais deviendra tatoué sur le corps, tellement il procure de bien : le titre ne sera même plus nécessaire. L'abdomen sera utilisé comme fond, remplissant l'espace et permettant le contraste voulu avec les éléments spécifiques à communiquer : rabais, logo, numéro 1-800.

Seul ce concept est présenté au client, qui le trouve audacieux mais attirant. Moins de 24 heures plus tard, la production débute. Nom de code, encore utilisé aujourd'hui : campagne bedaine !

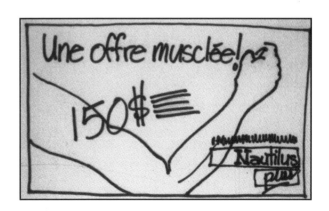

La production

Ni trop gras, ni trop maigre. Ni trop bronzé, ni trop pâle. Ni trop musclé, ni trop chétif. L'important est d'afficher un abdomen qui n'aura pas de trait de famille avec celui de Sylvester Stallone, ce qui découragerait d'avance la plupart des consommateurs potentiels, mais qui montrera néanmoins un certain tonus, question de projeter les bénéfices du produit.

Plusieurs candidats et candidates soumettent leur abdomen à une séance de Polaroid. Mise en candidature de bedaines! Il va sans dire que les clichés seront scrutés à la loupe.

Une fois les mannequins sélectionnés et leur cachet négocié, place à la véritable séance de photos, précédée du maquillage. Pour simuler un tatouage, le 150 $ de rabais sera peint à la main grâce à un jeu de stencils, très habile. Chaque séance de maquillage dure près d'une heure, chaque séance de photos près d'une demi-heure. Une version horizontale française est requise pour les panneaux arrière des autobus. Pour les affiches verticales destinées aux wagons de métro, au réseau Zoom Média, à l'affichage sauvage et à la publicité en succursales Nautilus Plus (PLV), quatre versions sont requises : deux avec un homme et deux avec une femme, chacune en français et en anglais.

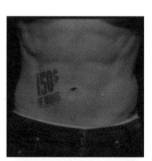

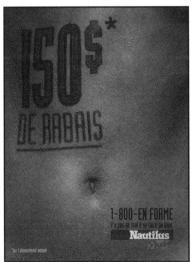

Avant de produire les films finaux servant à l'impression des panneaux et affiches, des épreuves couleur sont soumises à l'agence pour approbation. Plusieurs retouches sont encore à effectuer : modifier la couleur de l'astérisque, enlever l'empattement du chiffre 1 pour éviter qu'on ne le confonde avec un 7, déplacer le bloc logo/slogan/téléphone, éliminer tout poil indésirable sur la bedaine, et surtout pâlir la chair derrière le «Plus» du logo pour s'assurer que celui-ci soit bien discernable malgré son faible contraste par rapport au fond.

La conclusion

Le produit fini s'attaque avec satisfaction au marché quelques semaines seulement après la présentation du concept au client. Seule imperfection : le chargé de compte aurait souhaité que la version horizontale soit cadrée plus serrée sur les côtés, de façon à éliminer les rondeurs qui peuvent à la limite s'interpréter comme des bourrelets. La création a eu le dernier mot.

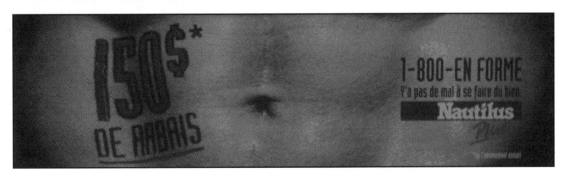

PARTIE 3

GALERIE PUB

Voilà une sélection de messages publicitaires généralement de grand cru... de
l'humble avis du dégustateur. Le réper-
toire présenté est subdivisé selon le média
utilisé, puisque, en plus des principes uni-
versels d'efficacité publicitaire, chaque
média recèle sa propre posologie d'action.

PARTIE
3

GALERIE PUB

Les quotidiens

Un grand visuel, un titre punch, une couleur additionnelle,
un format dominant. Mais encore...

1 — **1**

*Le genre de concept qu'un annonceur
peu connu pourrait difficilement
envisager. Mais avec l'historique du
code publicitaire Black Label, voilà
une application extrêmement
intrigante, dominante, épurée, bref,
publicitaire. Même sans logo,
l'annonceur est reconnu
instantanément grâce au style.*

2 — **2**

*Bien que le titre profite de sa
répétition, ce qui encourage la lecture
des différents blocs d'information,
il mise avant tout sur une première
mention dominante par son format.
La publicité demeure l'art de faire
ressortir l'élément clé !*

3 — — — — — — — — — — — — — — — — — — — **3**

*L'approche classique, mais combien
efficace, pour concevoir une annonce
imprimée. Un visuel dominant,
provocateur, intrigant. En prime, une
répétition heureuse dans la
formulation du titre et du sous-titre.*

Cet homme chante faux.
Il n'imite personne.
Il n'est même pas drôle.

84 960
minutes
gratuites
(et pas une seconde de plus)

6 MOIS DE WEEK-ENDS GRATUITS

Bell *Mobilité*

4

*Le visuel photographique occupe la
majeure partie de l'espace disponible
et dégage un côté actif. Bien que lié de
toute évidence au visuel, le titre n'en
suggère pas moins les qualités
sérieuses qu'on veut associer
au manufacturier.*

5

*Il est évident que les chiffres dégagent
un côté tangible, actif, bref,
publicitaire ! Et avec un brin de
passe-passe dans la formulation,
on peut rendre l'offre encore plus
attrayante, comme c'est le cas ici
avec le jeu des minutes dans le titre.
Boni efficace, un sous-titre clin d'œil
dans une mise en page tout aussi
clin d'œil.*

6

*Une mise en page dominante,
hautement efficace et visible. Avec
une symbolique en prime ; l'avion
qui traverse l'espace et relie quasi
instantanément le point A et le point B.*

La main de la justice se referme
sur Andreotti

Terreur au quotidien au pays de la cagoule

AIR FRANCE

Un scandale à l'italienne secoue le
gouvernement

L'Intifada invincible?

L'utilisation opportune de
la mise en page typographique ajoute
un élément sonore actif au message
imprimé. On jurerait presque
entendre l'annonce télé...

1

1

2

Difficile de ne pas apercevoir cette
annonce pleine page lorsqu'on flirte
avec le contenu d'un quotidien.
Le taux d'intérêt, imposant de
format, utilise même une couleur
additionnelle pour une
visibilité encore supérieure.
Le gros plan, droit au but.

3

Un encart grand format permet de
profiter de la grande portée des
quotidiens, en s'assurant une qualité
de reproduction couleur impeccable
et un espace considérable pour
livrer l'information. Résultat : un
taux de rappel généralement élevé,
comme ce fut le cas pour cet
encart de La Capitale, compagnie
d'assurance générale.

2

3

4

Un double page en quadrichromie.
Dans les quotidiens grand format,
l'annonce a un demi-mètre de haut par
plus d'un demi-mètre de large. Pas
surprenant que plusieurs mois après
quelques parutions seulement
(dispendieuses, il est vrai), bien des
gens s'en souvenaient encore.

5

Rares sont les annonces de
concessionnaires automobiles qui
dégagent autant d'attrait. Par la
création d'un personnage évoluant au
fil des offres promotionnelles, la
campagne du très sympathique
concessionnaire Nissan a donné lieu à
un palmarès d'exécutions où le visuel
et le texte s'harmonisent avec
rythme et succès.

6

Guides d'achats, les quotidiens sont
fréquemment le théâtre d'annonces
touffues bourrées de produits et de prix
en noir et blanc. La campagne IKEA
fait exception : par l'usage de
quadrichromie, la direction artistique
dans la mise en page, par le titre
intégré à l'offre produit, le résultat
stimule l'achat et communique même le
positionnement du magasin.

Mon oncle,
j'ai deux mots
à te dire
et c'est pas
bonne fête...

1a

TASSE-TOI !

La Golf
Conçue pour la vie

1b

1a et **1b**

*L'espace de quelques parutions,
cette campagne provocante et active
de Volkswagen a opté pour deux
pleines pages de droite consécutives,
en séquence intrigue-réponse.
Mon oncle, ça va être ta fête...*

2a à **2d**

*Plutôt que d'utiliser une page ou un
peu plus, cette campagne de
copieurs Canon aligne quatre
exécutions verticales de 2 colonnes
sur quatre pages consécutives. On
gagne en fréquence à l'intérieur
d'une même parution. On exploite
plusieurs avantages du produit au
lieu d'un seul. On joue habilement
sur les mots et sur l'espace.*

Rendement
supérieur

Taille
moyenne

Frais
inférieurs

Le copieur idéal...
à tous les niveaux!

2a NP 6050 Canon

2b NP 6050 Canon

2c NP 6050 Canon

2d NP 6050 Canon

Les magazines

Qualité de reproduction, flexibilité de production, occasion de ciblage étroit selon le champ d'intérêt des lecteurs.

Sur chaussée glissante, le conducteur peut ne pas réagir assez vite pour éviter le décrochage des roues et conserver sa maîtrise de son véhicule.

C'est pourquoi toutes les Saturn équipées d'une boîte automatique et de freins antiblocage sont également dotées d'un système de traction asservie: dès qu'une roue patine (sur la glace ou la pluie, par exemple), un ordinateur envoie des ordres au moteur et à la boîte de vitesses pour en régulariser la rotation et aider à stabiliser le véhicule.

3a

Une chaîne n'est jamais plus solide que le plus faible de ses maillons. Cette vérité toute simple, Saturn a décidé de l'appliquer à sa chaîne de montage. Chaque personne qui y travaille est non seulement autorisée mais encouragée à ralentir ou arrêter la production des voitures si elle remarque qu'un détail qui cloche ou une quelconque anomalie.

L'étape finale du contrôle de la qualité se résume alors à faire passer chaque voiture sous un écriteau. On peut y lire: « Sortie des voitures les mieux construites du monde ».

3b

4

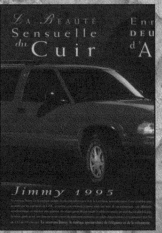

5

3a et **3b**

Aucune photo du produit. Aucun titre. Pourtant, cette pelure de banane et ces maillons de chaîne piquent la curiosité et incitent à la lecture. Des annonces sobres et crédibles, bénéficiant de format et de composition identiques, sur 2 pages de droite successives.

4

Cet encart de quatre pages était imprimé sur du papier cartonné qui se démarquait de son environnement au simple toucher. Un échantillon véritable de cuir était collé sur la première page, stimulant l'interactivité avec le lecteur. Bref, une communication multisensorielle prenant avantage des possibilités du média.

5

Le même concept, ou presque, s'accapare ici d'autres avantages du média, en optant pour rien de moins qu'un encart à l'emporte-pièce (gatefold) logé à l'intérieur de la couverture 1 et qui se sépare en deux! Position extra garantie qui garantit extra attention et extra interactivité.

1a et **1b**

Loin des subterfuges, des symboliques abstraites et des approches usuelles pour le type de produit. L'essence du message est livrée en première page par le poids dénudé des mots. Suit la photo noir et blanc en double page, sans aucun détail explicite quant à la voiture.

2

La publicité dans les médias imprimés permet difficilement d'évoquer en un seul temps un déroulement ou une évolution. Qu'à cela ne tienne ! Pourquoi ne pas utiliser des pages successives ou des demi-pages côte à côte ? Cette annonce deux temps de Smirnoff est d'autant plus efficace qu'elle répète deux fois, à peu de choses près, les mêmes iconèmes.

3

Lorsqu'une veine publicitaire forte est endiguée, les exécutions coulent à flot.

4

La route, «intrigue», sillonne cinq bas de pages consécutifs du magazine avant d'arriver à destination sur la réponse en pleine page. Un concept de mise en page intrigant qui suscite un décodage interactif, tout au moins pour ceux et celles qui prennent la peine de s'arrêter à autant de haltes publicitaires en bordure de leur magazine.

C'EST LORSQUE LE VENT TOURNE
QUE L'ON RECONNAIT LES GRANDS PILOTES.

LAVERY, DE BILLY

⑤

Inutile d'avoir des doigts de fée pour se servir d'un Pentax P30.

PENTAX
A la pointe de la simplicité

⑥

TOUTES LES VOLVO ONT CE MAGNIFIQUE DESIGN!

⑤

Un visuel inusité dans un magazine d'affaires. Le message est clair, dominant, appuyé par une mise en page classique où le titre et l'image communiquent élégamment.

⑥

Un visuel dominant qui frappe fort, une idée amplifiée par le processus créatif. Pourquoi essayer de montrer de gros doigts quand un symbole plus percutant pourrait mettre k.-o. ?

⑦

L'ambiguïté titre/visuel (magnifique/amochée) surprend et accroche. Dérogeant à la norme, le titre prend plus d'espace que le visuel. Comme quoi le texte et l'image ont des champs d'évocation spécifiques, comme quoi aussi, la pub aime s'écarter des règles et provoquer l'accident de parcours.

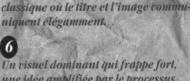

APRÈS 6 126 AMÉLIORATIONS, LES TOUTES NOUVELLES AUDI QUATTRO SONT FIN PRÊTES.

audi
LE CONTRÔLE

L'affichage

Un média qui ne tolère que les concepts synthèses... pour les propulser en grand.

Une seule idée exploitée à son maximum, sans redondance, et avec du contraste. Voilà la façon gagnante d'aborder créativement l'affichage !

En temps normal, ce texte est deux fois trop long pour un panneau publicitaire. Mais située sur des artères où les bouchons de circulation sont monnaie courante, cette campagne fait appel à un opportunisme média et créatif hors pair.

Une exécution dominante et épurée ou le média et la création œuvrent aussi de pair, sachant que ces panneaux étaient situés sur le boulevard Sainte-Anne, la principale voie d'accès du plus important concurrent de Stoneham.

4

Plutôt que d'illustrer le propos, en montrant par exemple un bcbg hors d'haleine, ce qui rallongerait le décodage, cette application brille par son épuration. Une complémentarité opportune entre le texte et le visuel.

5

Certes, le contraste y est, le message est succinct à s'en lécher les doigts, pardon, à ne pas y résister, pourtant l'exécution n'était-elle pas supérieure sur un format horizontal?

6

On suggère habilement l'idée que l'autobus est propulsé par le produit. Le slogan est-il absolument nécessaire?

1 Un superpanneau est l'endroit sur mesure pour réaliser dépassements et figures tridimensionnelles. Malgré cette touche supplémentaire de piquant, l'exécution conserve son épuration et sa synthèse.

2 Une pub qui frappe... parce qu'elle traduit de façon tangible (par l'association avec le panneau de limite de vitesse ainsi que par le mécanisme d'interactivité au radar) un slogan frappant mais abstrait. Malgré la quantité d'iconèmes, le message est particulièrement bien véhiculé.

3 La nuit, les chats sont gris, les pubs remplis et les pubs de Black Label très sensuelles, surtout lorsque conçues sur mesure pour diffusion dans le réseau restos-bars de Zoom Média.

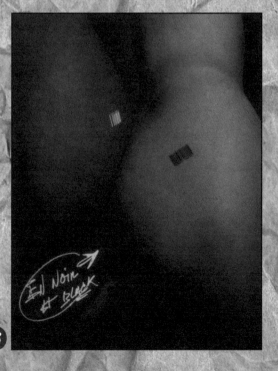

4

5

4

*Un média message. Formulé dans
un abri d'autobus en plein hiver,
la force tangible du texte est d'autant
décuplée.*

5

*Non seulement on tire profit du temps
d'exposition au média (affiche Zoom
Média), mais on stimule la durée de
décodage par une image latente tridi-
mensionnelle accompagnée d'un texte
à l'unisson.*

6

*L'application média (affiche en
intérieur d'autobus) guide à merveille
l'exécution créative, la mise en page
transcendant le contenu.*

6

Il n'a pas pris son Nescafé ce matin.

1

1

Comme dans l'ensemble de
cette campagne, le concept
présente une résultante de
la non-consommation du
produit. L'exécution
comporte cependant
beaucoup d'éléments.

2

Sur cette application en
Omnicolonne, l'idée
maîtresse est véhiculée
par un nombre limité
d'iconèmes, pour un résultat
certes plus souriant...

2

Il n'a pas pris
son Nescafé
ce matin.

3

3 Concision haute en couleurs et contrastée, mise en valeur par le support d'affichage rétro-illuminé. En prime, une référence très politiquement correcte.

4

4 On dit souvent que la publicité est l'art de concentrer pour mieux évoquer, surtout en affichage. Bien qu'elle soit une démonstration avant/après, cette exécution ne comporte-t-elle pas trop d'éléments?

La radio

L'art, difficile il est vrai, de jouer avec le son pour créer histoires et images mentales.

McDonald's
Radio 60 secondes

Musique :	Indicatif de McDonald's et arrangements pompeux.
Narrateur :	La double vie des gens riches et célèbres... Né à la frontière du Mexique, le Double Tex Mex nous raconte sa formidable ascension au titre de Saveur du mois chez McDonald's.
Tex Mex :	(sfx : voix originale anglaise en arrière-plan) Avant, j'étais un double cheeseburger ordinaire, mais tout jeune, je voulais une place parmi les grands...
Narrateur :	Malgré un chemin semé d'embûches, c'est en s'accrochant à son rêve qu'il a trouvé l'idée qui devait changer sa vie.
Tex Mex :	(sfx : voix originale anglaise en arrière-plan) C'est en visitant ma ville natale que j'ai eu l'idée de cette sauce mexicaine...
Narrateur :	Et quelle idée ! Luxueusement nappé sur une fastueuse tomate et serti des plus belles coupes de laitue, le Double Tex Mex a gagné son pari. Malgré son immense succès, il a su rester simple. Ainsi, en octobre, il accepte, pour 3,99 $ de partager la vedette chez McDonald's, en formant un trio avec deux formats moyens : une frite et une boisson gazeuse. Au retour, la vie tourbillonnante d'un lait frappé.
Choristes	Moi, j'aime McDonald's

Une parodie réussie d'un classique ridicule du petit écran. Le côté sonore de la traduction simultanée et le contraste dans les timbres de voix ajoutent au mouvement de l'histoire.

Nissan
Radio 30 secondes

Musique :	Rigodon, set carré
Calleur :	Les 28, 29 et 30 décembre
En chœur :	Les 28, 29 et 30 décembre
Calleur :	Il se passe queq chose de gros
En chœur :	Il se passe queq chose de gros
Calleur :	On négocie !
En chœur :	On négocie !
Calleur :	Des belles Sentra, des Altima, des Maxima, des Path Finder, des Access et pis des Quest, LX, 300 ZX, 240 SX...
En chœur :	Pis les gros costauds. On négocie !
Annonceur :	Les 28, 29 et 30 décembre, passez chez votre très sympathique concessionnaire Nissan et profitez de l'événement...
En chœur :	On négocie !

Une ritournelle publicitaire très accrocheuse en soi, profitant à souhait d'une formule de répétition pertinente au temps des fêtes.

Transports Québec
Radio 60 secondes

Musique :	Bombarde, cuillères et tape-cuisses
Narrateur :	J'm'en vas te conter l'histoire de Ti-Jo Connaissant, la tête de cochon, qui restait l'aut'bord du pont. Ti-Jo, y disait à tout

l'monde que ça y prenait pas plus que 20 minutes pour se rendre en ville, même en hiver. Mais un matin d'hiver justement, Ti-Jo y s'est r'trouvé ben mal emmanché. Y avait pas ôté la neige sur son char, y avait pas l'temps. Pis y avait enfilé sur la neige rien que s'une pinotte. Arrivé sul'pont, y trouvait que l'autre d'en avant, y allait pas assez vite. Ça fait qu'y s'met à te le pousser dans l'derrière, chose ! Un moment donné, l'autre y est obligé d'arrêter sec. Mon Ti-Jo, pas l'temps d'freiner, y ti rentre dedans, y fait un 360 bien compté, pis y ramasse les chars qui s'en venaient dans l'autre sens. Ah ! sûr que ça y a pas pris plus que 20 minutes pour faire un tannant de beau dégât.

Y en a qui disent que depuis ce temps-là, l'hiver, Ti-Jo met des pédales de fourrure après son char. Ç'a l'air qu'y file plus doux.

Musique : Bombarde, cuillères et tape-cuisses
Annonceure : Cet hiver, n'entrez pas dans la légende. Gardez vos distances ! Un message de Transports Québec, en collaboration avec Canadian Tire.

Le style de narration, les détails croustillants de l'histoire, le timbre du franc-parler, l'enrobage musical. Tous les ingrédients d'une production extrêmement radiophonique.

Kodak
Radio 60 secondes

Narrateur : Si vous ne faites pas développer vos films avec le système Color Watch de Kodak, vous pourriez attraper... la rage. (sfx : intro de la Toccata fugue de Bach)

Imaginez l'horreur. Ah ! vous avez pris de merveilleuses photos au lac St-Jean. En revenant, vous vous dépêchez d'envoyer développer vos films chez le le... chose Ti-Jo photo au coin de la rue, et vous allez organiser un party (sfx : flûtes d'anniversaire) avec tous vos amis et collègues de bureau pour leur faire partager vos magnifiques souvenirs. Ah ! devant tout le monde (sfx : roulement de tambour) vous allez ouvrir votre enveloppe de photos et découvrir des couleurs... (sfx : accord strident) bizarres ! Là, y vont tous se mettre à rire de vous, pis comme vous êtes fier, vous allez vous fâcher, hein, vous allez vous mettre à crier contre le magasin qui a ruiné vos souvenirs, vous allez frapper à grands coups de poing sur le comptoir de la cuisine. Ah ! vous allez vous faire très très mal !

Et là, pendant c'temps-là, votre main gauche (sfx : mouvement gauche) va renverser votre verre sur la belle robe en taffetas de la femme du patron. Y va pogner les nerfs lui aussi, il va vous mordre au mollet et vous allez attraper... la rage ! (sfx : intro de la Toccata et fugue de Bach) (musique légère) Ne prenez donc pas de risques. Pour des souvenirs aux couleurs plus vraies, confiez le développement de vos films à un détaillant qui utilise le système Color Watch de Kodak.

Kodak, je me souviens. (fin musique légère)

Par son rendu (un texte radio est conçu pour prendre vie à la radio, pas sur une feuille de papier), sa modulation, ses changements de débit, ses emballements ponctués d'effets sonores, cette narration habilement tramée amène l'auditoire droit au but visé.

Tv Hebdo
Radio 60 secondes

Musique :	Musique évoquant une scène d'amour style 1950 au cinéma.
Actrice :	Tu sais que je t'aime. Tu sais... que je t'aime.
Acteur :	Tu m'aimes. Je sais.
Actrice :	Mais est-ce que tu sais que je t'aime... beaucoup?
Homme :	Bon! Là on l'sait!
Femme :	Avance le film Roger!
Sfx :	Film qui avance en mode accéléré
Actrice :	(musique reprend) Tu sais que je t'aime...
Homme :	Tu l'savais-tu toé qu'elle l'aime!
Acteur :	Non, je ne le savais pas.
Actrice :	Oui... vraiment.... je t'aime vraiment.
Femme :	Ah! avance-le jusqu'à fin!
Annonceur :	Évitez de louer des films ennuyants et consultez nos 3 nouveaux guides vidéo de 24 pages, gratuits dans *TV Hebdo*. Participez aussi à notre concours, il y a 1000 films à gagner, dont *Le parc jurassique*. Cette semaine dans *TV Hebdo*, le guide des meilleures sélections 1994. *TV Hebdo*, toujours original.
Actrice :	Je te quitte.
Homme/femme :	Bon! Enfin!
Actrice :	Mais avant, sais-tu que... je t'aime?

Le scénario, les ambiances, les effets sonores, le jeu des comédiens, le contraste des différentes voix, tout contribue à bâtir une histoire dont le déroulement jaillit de la radio et se recrée simultanément dans l'esprit de l'auditeur.

GM Goodwrench
Radio 30 secondes

Annonceur :	Chez G é é é é GM Goodwrench Service Plus, nous remplaçons la vieille ba e ba e ba e ba e batterie de la plupart des véhicules GM par une nouvelle batterie Delco pour seul e seul e seul e seulement 89,95 $ et l'installation est comprise. Dé é é é é marrez l'hiver a a a avec·u u u u (sfx : voix s'éteint; on dévisse, on revisse; voix renaît) une nouvelle batterie pour seulement 89,95 $. GM Goodwrench, tout le service (sfx : courant électrique), batterie incluse.

Le timbre et le débit de la narration suggèrent le son d'un moteur difficile à démarrer. Le résultat est extrêmement évocateur, avec des coûts de production... minimalistes. La radio à son meilleur quoi!

Labatt Bleue
Radio 15 secondes

Musique :	Introduction musique jazzée
Annonceur :	Pause mentale Labatt Bleue. Comment s'appelle l'action d'envoyer la balle dans les gradins, directement sur la tête d'un idiot?
sfx :	Tic tac tic tac
Annonceur :	Frapper un simple! Labatt Bleue, bonne sans bon sang!

Une devinette qui incite l'auditeur à réfléchir, donc à éveiller son niveau d'attention, d'autant plus que le quiz porte sur le baseball, et que ces capsules étaient diffusées pendant la retransmission de ses matchs.

Orléans Express
Radio 60 secondes

Sfx :	Sonnerie téléphone cellulaire
Acteur :	Oui allo? Ah! patron. Justement j'voulais vous appeler. Oui, oui c'est ça, j'pars de Québec. Y a une p'tite pluie qui tombe, j'vas être un peu en retard à la réunion... Oui, oui, oui j'ai pris mon auto (note : on devine que l'interlocuteur répond à l'autre bout de la ligne). Ah! j'aurais dû prendre Orléans Express. Ah! ouin, c'est plus économique. Ouin, eux autres arrivent à l'heure. Ha! Ha! Ha! (rire) C'est pas bête, ça! (...) Le document? Oui, oui j'l'ai reçu en fin de journée hier, j'ai pas eu le temps de le lire, j'ai, euh... (...) Ouin, ouin, j'aurais eu le temps de l'lire si j'avais pris Orléans Express, Ouin! Ha! Ha! Ha! (rire) Ouin, Ouin, Ouin.
Sfx :	Sirène de police
Acteur :	Oh! oh, regarde donc. Excusez-moi, il faut que j'vous laisse là, j'pense qu'il y a quelqu'un qui veut me parler que... (...) Oui, oui, oui, je sais c'est à mes frais. Ouin. (...) Ça serait pas arrivé si j'avais pris Or Or Ouin Ouin. C'est ça! OK! Ben écoutez, finalement, j'vas être encore un petit peu plus en retard. OK c'est ça, bye... (sfx : rac-croche le téléphone) Ah! boy!
Annonceur :	Orléans Express, l'efficacité sur toute la ligne.

Grâce au jeu des silences et au brio du comédien, un simple monologue traduit de manière crédible et vivante le dialogue téléphonique à la base du récit. Le patron avait-il autorisé le coût de diffusion d'un 60 secondes, plus dispendieux que celui d'un 30 secondes, mais apparemment plus apte à mettre en place de façon radiophonique le déroulement d'une histoire? Réalité ou caprice?

McDonald's
Radio 60 secondes

Musique :	Thème musical de McDonald's, dans une version dramatique à la *Mission impossible*.
(1 : procureur) :	Ah! Monsieur Gauthier, vous affirmez, dans votre déclaration, avoir trouvé le portefeuille de coupons McDonald's dans votre boîte aux lettres?
(2 : homme) :	Ben Je Ah! Aoh! Je, oui!
(1) :	Bon! Par conséquent, vous admettez vouloir vous servir de son contenu, soit les coupons 2 pour 1.
(2) :	Ben, oh, et ben comme c'est jusqu'au 28 février, j'm'en, j'm'en, j'm'en suis déjà servi.
(1) :	Ah! ah! (sfx : tumulte dans l'assistance)
(3 : juge) :	(sfx : coups de marteau) Silence, ou je fais évacuer le McDonald's. Faites entrer le Big Mac, le Mac Poulet, la pizza individuelle, le Quart de Livre avec fromage et le Sandwich Mac Muffin.
(1) :	Monsieur Gauthier, est-ce que vous les reconnaissez?
(2) :	Je je je justement, j'en j'en j'en ai pris deux comme celui-là.
(1) :	Ah! ah! (sfx : tumulte dans l'assistance) Est-ce que c'était bon?
choristes :	Je ne peux pas y résister.
(1) :	Votre honneur, compte tenu des circonstances très économiques qui entourent le fameux portefeuille, nous pouvons conclure que les coupons 2 pour 1 ne sont pas coupables, mais bien détachables. (sfx : applaudissements dans l'assistance)
	Moi j'aime McDonald's
choristes :	

Les bénéfices d'une promotion des ventes prennent une proportion décuplée dans cette mise en scène où le timbre des voix, le style narratif et les artifices sonores créent le théâtre virtuel.

Poulet Frit Kentucky
Radio 30 secondes

Musique :	Intrigue policière
Narrateur :	Il aurait été aperçu sortant d'une banque à Sherbrooke, il serait ensuite passé par une caisse à Chicoutimi, il se serait fait prendre dans un portefeuille à Lévis, il aurait filé des mains d'un policier de Rimouski. Tout le Québec est présentement à la recherche de cet individu de race mauve, portant les cheveux longs, aussi de couleur mauve. Vous verrez son portrait sur chaque billet de 10 $. Si vous le reconnaissez, livrez-le chez PFK, une récompense de 10 morceaux de savoureux poulets vous y attendent. C'est l'offre 10 pour 10 chez PFK. 10 morceaux, 10 piasses.
Choristes :	Je suis toqué de Kentucky! Wou!
Narrateur :	10-10!

Du portrait-robot du protagoniste à la mention de la récompense, l'intrigue policière confère toute la texture au poulet. Surtout que la narration est livrée par Claude Poirier. Production à la hauteur, sans quoi les meilleures idées finissent au banc des accusés...

Mont-Tremblant
Radio 30 secondes

sfx 25 sec. :	Nature, hibou, oiseaux
Annonceur :	La montagne... vous appelle! (sfx : loup) Tremblant, la vraie nature du ski.

Dans l'univers trépidant de la vie urbaine, dans l'univers radiophonique au rythme rapide, ce message fait blanc contraste, utilisant de façon intrinsèque les qualités de la radio.

La télévision

Un arsenal créatif souvent plus grand que les budgets de production...

Labatt Dry

Un gros plan épuré, loin des chansonnettes et sagas rock habituelles de la bière. Chaque message de cette série repose sur les stéréotypes de la drague. Par un décor minimaliste, un fond musical attirant, le traitement en gros plan devient très accrocheur.

PFK

Si piquantes les ailes qu'elles irritent le détecteur de fumée! Un saut créatif lié directement au bénéfice du produit, dans une mise en scène et une direction artistique pour le moins remarquables.

Pizza McDonald's

Plutôt que d'adapter simplement le concept développé en affichage, on va plus loin pour la version télévision, créant une historiette autour d'un porte-parole tout aussi coloré que la garniture du produit.

Opéra de Québec

Par le simple jeu typographique des pom pom qui sautent à l'écran au rythme de la bande sonore, on crée dynamisme et intérêt. Une façon inventive d'optimiser une production à budget... très raisonnable.

Jean Coutu

Reconnue pour son orientation marketing prix/variété de produits, la bannière Jean Coutu brise ici le code publicitaire qu'elle a largement contribué à établir. Le témoignage de Jean Coutu lui-même dans l'engagement de qualité est aussi fort qu'inattendu.

Air Canada

Baissez le son et regardez cette annonce. Maintenant rajoutez la chanson Hello Goodbye des Beatles. Malgré l'absence d'un récit à la base du message, on voit comment la musique peut devenir un élément clé.

Black Label

Baissez le son et regardez cette annonce. Créativement osée, toujours active et provocante, la pub de Black Label s'est bâtie un univers d'évocation à elle seule. Jusqu'où et jusqu'à quand cet univers peut-il étirer ses tentacules ?

Hydro-Québec

En voulant nous empêcher de nous faire crucifier sur un poteau, cette annonce nous cloue littéralement sur nos sièges. Le niveau de peur est tel, cependant, qu'on se demande si certains récepteurs ne décrocheront pas par dissonance cognitive.

Volkswagen Jetta

Un prisonnier épris de sa voiture ! Une histoire cocasse mais non déconnectée du bénéfice qu'on veut associer au produit. La chansonnette simple et euphonique («Toutes les nuits, je rêve à toi ma belle Jetta») contribue énormément à la rétention.

Labatt Bleue

La traduction scénique littérale d'expressions populaires (poser les cadres, chauffer le poêle, pleuvoir comme des clous, etc.) crée un enchaînement sympathique sur une histoire de jeux de mots. Est-ce que l'association du produit au concept est assez forte ?

Super Loto

Un des classiques de l'histoire de la publicité au Québec. Les personnages sont exagérés à souhait, ils en deviennent achalants, mais bon sang qu'on retient que c'est excitant de gagner le gros lot ! La pub est le théâtre où on lave plus blanc...

Métro

Brillante idée s'écartant elle aussi des recettes traditionnelles. Cette danse d'épiciers, par son rythme, sa musique et son jeu de proportions amplifiées propulse loin en tête l'authenticité du slogan «Métro, profession : épicier».

Réno-Dépôt

Formule consacrée de la radio, le remote est beaucoup plus rare à la télévision. D'où une impression chevauchant à la fois l'authenticité, l'originalité et l'accessibilité. Cette exécution était parmi les plus agréables de la série, Normand Brathwaite se demandant ce qu'il fait dehors alors que tout se passe en dedans...

Alcan

Il y a des messages épurés où l'action se joue en gros plan. Il y en a d'autres, comme celui-ci, où l'action s'enchaîne à grand déploiement d'images, de son et de climats. Les deux approches permettent de créer le mouvement et l'attention en télévision!

Energizer

Ce message emprunte à s'y méprendre un code publicitaire voisin, celui de plusieurs marques de houblon... jusqu'au moment où le lapin énergique traverse l'écran et repart comme un cheveu sur la bière. Contraste inattendu fond/forme.

La Rousse de Molson

L'introduction est sensuelle et envoûtante comme le générique d'un James Bond. Mais arrive l'anti-climax! La Poune apparaît et livre tout en douceur son slogan mémorable. Certes, la rétention est à 100 %, mais que dire des valeurs d'appréciation et d'identification du message?

Nescafé

Pendant plus de 20 secondes, le père ahuri tente d'amuser le bébé sceptique. Aucune indication quant au commanditaire. Puis, on comprend vers la fin que papa n'avait pas pris son Nescafé... Faire naître une histoire, attiser le récepteur, puis servir le message une fois les jus sortis. Une formule opportune dans l'espace temps que procurent les médias électroniques.

Burger King

Un saut créatif simple mais drôlement efficace. Plutôt que de montrer un cadran ou se mettre à parler à cent milles à l'heure, le porte-parole communique l'urgence de l'offre en transposant lui-même le mouvement de l'horloge. L'accentuation d'un élément crée un gros plan générateur d'attention.

La soucoupe volante

Demain, les meilleures pubs sur l'Internet, sur CD-ROM, sur la face cachée de la lune! Parions cependant que les médias dits traditionnels seront encore de ce monde.

PARTIE 4

SUR LA TRACE DES MAÎTRES

Nous présentons ici des personnes que
l'on peut considérer, sur un plan ou sur
un autre, comme des «maîtres» dans le
domaine que couvre le présent livre. Nous
avons convenu de mentionner quelques
maîtres seulement; nous avons donc dû
exercer des choix difficiles. Toutefois, la
courte biographie de chacun fera réaliser
au lecteur, nous l'espérons, qu'un maître
n'est après tout qu'un humain bien ordi-
naire, à qui les faveurs du destin ont permis d'atteindre la notoriété. Et, dans ces
circonstances, il est permis au lecteur d'en
élire un ou un autre au titre de modèle
dont il pourra suivre les traces... et même
les dépasser.

PARTIE
4

SUR LA TRACE DES MAÎTRES

Dans un domaine émotif comme l'idéation publicitaire, il apparaît subjectif et délicat de dresser une liste des chefs de file en la matière.

Parmi tous les créateurs efficaces et talentueux, certains ont connu la chance de voir leurs réalisations largement diffusées. Était-ce l'adon de budgets média favorables? Ou la simple logique de voir leur brio repêché par d'importantes agences pour qui l'excellence créative constitue la norme?

D'autres concepteurs doués ont hérité de mandats à moins grande visibilité, hypothéquant le rayonnement de leur talent. C'est notamment le cas des concepteurs québécois hors Montréal qui travaillent à des campagnes diffusées à Québec ou à Gaspé, mais non sur la rue Saint-Laurent. Morale inévitable : les créations véhiculées partout en province, Montréal inclus, ont plus de chances d'attirer les regards intéressés des grands annonceurs et des grandes agences.

Enfin, levons notre chapeau aux amants torrides de la création publicitaire qui travaillent présentement jour et nuit, famille et vie privée exclues ou presque, à bâtir un portfolio percutant.

Voici donc les curriculum vitæ de quelques pionniers de l'idéation qui ont laissé des traces d'hier à aujourd'hui. Loin d'être exhaustive, la sélection de maîtres présentée ici s'arrête à la réalité nord-américaine, proximité marketing aidant, bien que de grands noms britanniques, français et japonais ont également véhiculé un bagage créatif digne de mention. Donc, place aux doyens et aux empreintes qu'ils ont laissées, et ce, dans l'ordre chronologique de leur apparition! Et demain, qui imprimera de nouvelles traces?

Leo Burnett

Né à la fin du siècle dernier, Leo Burnett a marqué sa génération de publicitaires comme le dernier des mohicans. Après avoir rédigé des affichettes pour un grand magasin afin de payer ses études, il travailla comme reporter dans un quotidien, comme directeur du service publicité chez Cadillac, puis pour quelques agences où il devint responsable des rédacteurs. En 1935, il fonda son agence. Pas à New York comme la tradition le voulait, mais bien à Chicago, puisque Leo voulait demeurer près de ses proches. «Pourquoi la pub issue de Chicago ne pourrait-elle pas être aussi bonne que celle conçue à New York?» En 1970, bien que l'Agence Leo Burnett ait désormais compté six bureaux et soit devenue la cinquième en importance aux États-Unis, toute sa création provenait encore de Chicago. Et ce, malgré le fait que Leo Burnett ait ralenti : à l'aube de ses 80 ans, il ne travaillait plus que 10 heures par jour.

Outre l'invention du Géant Vert de Niblett's, et de nombreuses campagnes à succès pour Kellog's, la soupe Campbell, Procter et Gamble et United Airlines, on doit à Leo Burnett l'idée que plusieurs ont qualifiée de campagne du siècle : la pub de Marlboro.

L'Agence Leo Burnett hérita du compte Marlboro en 1954, avec comme premier mandat un engagement pris par l'agence précédente dans le quotidien de Dallas. Le matériel publicitaire étant dû la semaine même, Burnett opte pour un vieux truc du métier : la saveur locale. Il choisit donc une photo de cow-boy dans une banque d'images et titre l'annonce : «Du nouveau chez Philip Morris». Non, ce ne fut pas le succès instantané. Ni même lors des exécutions suivantes, où les cow-boys exhibaient des visages doucets pendant que les titres déroulaient lentement les bénéfices : «Meilleur tabac, meilleur mélange, meilleur papier». Le style désormais célèbre à Marlboro allait plutôt naître avec la création du Marlboro Country, la symbolique de l'Ouest à l'état pur. Finis les titres bonbons, finis les cow-boys mannequins, dorénavant, place aux photos authentiques de grands espaces où vivent des cow-boys bien réels, ridés, poussiéreux, le visage perdu au loin. Vingt ans, trente ans plus tard, les campagnes de Marlboro n'ont constitué que des ramifications autour de la veine, des variantes autour du thème.

On dit de Leo Burnett qu'il était aussi bon rédacteur que Bill Bernbach et David Ogilvy, bien que son approche publicitaire ait reposé largement sur la force des images véhiculées. On dit aussi de Burnett qu'il était plat comme la mort en dehors de son travail : il mangeait et ne parlait que de publicité. On raconte enfin que Burnett fut le premier homme d'affaires granola. Dès l'ouverture de son agence, il en garnit la réception de paniers de pommes, destinées aux employés et aux clients. Mais cela ne l'empêchait pas de fumer deux paquets de Marlboro par jour.

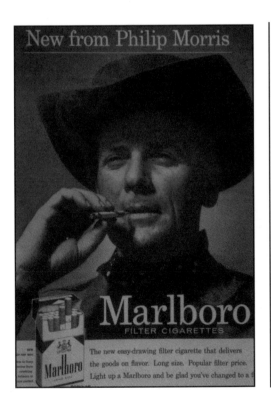

Cette pratique de consommer les produits de ses clients est d'ailleurs largement institutionnalisée dans la profession depuis ce jour.

Le credo créatif de Leo Burnett peut se résumer en trois points : 1. Il y a une histoire inhérente à chaque produit. Il faut la découvrir et miser dessus. 2. Si on vise à attraper les étoiles, on n'y parviendra sans doute pas, mais on ne ramassera pas non plus une poignée de boue. 3. Il faut s'imprégner de son sujet, travailler comme des malades, et enfin, aimer et respecter ses institutions. Extrêmement exigeant à l'égard du produit créatif de son agence quant à l'attitude, Burnett avait institué à l'interne un comité de vérification des concepts qui n'avait rien d'une séance collective de tapes dans le dos. Ainsi, les grandes campagnes de l'agence n'ont apparemment pas été enfantées dans l'euphorie et la fraternité, mais bien dans un climat tendu où les couloirs grondaient sur un temps riche...

Doté d'une confiance inébranlable en ses moyens et d'une modestie inversement proportionnelle, Burnett croyait dur comme fer que la publicité doit stimuler chez les consommateurs le désir d'utiliser le produit, plutôt que de les forcer bêtement à poser l'acte d'achat.

Il s'insurgeait donc contre la publicité qui martèle à coups de dollars médias des slogans insipides basés sur des argumentaires puériles. «Les gens ne sont pas fous, ils savent bien que c'est juste de la pub!» (Tiens tiens, cette opinion ne date pas d'hier...)

Leo Burnett fonda sa carrière sur le pouvoir d'identification de la publicité. L'art d'envoûter. L'art de projeter l'être idéal à l'être réel.

Alors que les Marlboro et toutes les cigarettes à bout filtre étaient à cette époque considérées comme efféminées, Burnett remédia à cette problématique en prescrivant une forte dose d'image virile. Il commença par épurer l'emballage du paquet, éliminant les lignes blanches dans la partie supérieure, pour ne conserver que le fond de couleur rouge.

1

William « Bill » Bernbach

Pour son paternalisme attentif à la profession de créateur, pour son enthousiasme délirant et incessant, et surtout pour le style de publicité qu'il a chèrement défendu, feu Bill Bernbach est considéré comme l'un des plus grands publicitaires américains de tous les temps.

Quittant une agence importante, Grey Advertising, William Bernbach fonde en 1949 sa propre agence avec deux partenaires associés : Ned Doyle et Maxwell Dane. Vingt ans plus tard, en 1969, Doyle Dane Bernbach atteint une facturation annuelle extrapolée de plus de 260 millions de dollars, soit une croissance jamais vue dans l'industrie publicitaire américaine. Gérant les

1

Si un cow-boy projette une image virile, que dire d'un cow-boy tatoué ? Le photographe Constantin Joffé fit une recherche de tous les diables pour dénicher les styles de tatouage les plus à la mode. Mais dans un souci de simplification et d'opportunisme stratégiques, Burnett décida d'opter tout simplement pour des tatouages d'emblèmes militaires. Ne conserver dans une communication que les éléments signifiants.

2

Dans sa recherche de symboles mâles, Leo Burnett fit de Marlboro le commanditaire du football américain à la télévision. Puis il décida d'acheter les droits du célèbre western The Magnificent Seven. *Résultat : les ventes de Marlboro sont passées, en l'espace de moins de trois ans, d'à peu près zéro à 19,5 milliards de cigarettes par année.*

2

budgets communicationnels de Volkswagen, de Polaroid, d'Avis, de Sony et bien d'autres, Doyle Dane Bernbach ne détenait certes pas la taille et la facturation d'une grosse agence comme J. Walter Thompson. Néanmoins, on affirmait dès 1970 que Bernbach et son agence avaient eu la plus grande influence sur la publicité américaine depuis la Deuxième Guerre mondiale. Doyle Dane Bernbach a redéfini les standards et les goûts. On raconte même que les annonceurs qui ne faisaient pas affaire avec Bernbach demandaient à leur agence de créer des campagnes «à la» Doyle Dane Bernbach.

Comme tous les idéateurs, Bill Bernbach était très travaillant en plus d'être talentueux. Il était surtout un ardent défenseur des fruits de la création. Ni les chargés de projets à l'intérieur de l'agence, ni même les clients n'avaient droit de veto sur le produit créatif. Bernbach préférait larguer un client plutôt que de faire des compromis dans ses concepts. Précisons qu'il tentait d'abord d'éduquer son client, avant de le mettre à la porte si l'argumentation ne menait à rien. Puisque la majorité

des produits et services restaient du pareil au même à ses yeux, l'évocation et l'exécution publicitaire constituaient non seulement la seule voie possible de distinction, elles devenaient carrément le contenu.

Convaincu que la publicité demeure un art de la persuasion plutôt qu'une science de la persuasion, Bill Bernbach avait une sainte horreur de la recherche : «La recherche a mis au monde plusieurs techniciens de la publicité qui connaissent dorénavant toutes les règles. Ils peuvent vous dire que les bébés et les chiens attirent plus de lecteurs. Ils peuvent vous confirmer qu'un long texte publicitaire devrait être segmenté en paragraphes pour faciliter la lecture. Ils peuvent vous enseigner tout ce qui est bon et vous le démontrer par des faits. Ce sont les scientifiques de la publicité. Mais il reste un problème : la publicité est avant tout un acte de persuasion et la persuasion n'est pas une science, mais bien un art. Dire la bonne chose ne suffit pas. Il faut motiver les gens. La différence réside dans l'art.»

En plus de conspuer la recherche, Bernbach détestait les fausses promesses. Quoi de plus innocent que de photographier quelqu'un debout sur la tête pour attirer l'attention. «Si vous n'avez pas acheté de Volkswagen parce que vous n'aimez pas son style, nous ne pouvons rien pour vous», titrait l'une des annonces réalisées par son agence. Bill Bernbach aura toujours cru qu'il faut reconnaître avec honnêteté les forces et les faiblesses du produit, puis les communiquer sans tromperie aux consommateurs.

L'audace créative droit au but et servie en gros plan. On aurait pu affirmer dans le titre que «chaque Volkswagen passe une série rigoureuse de tests d'inspection», ce qui n'aurait empêché personne de vivre. On amorce plutôt la même idée par l'usage d'un seul mot : «citron» qui, par son côté anti-publicitaire, devient terriblement publicitaire.

1

Une mise en page aérée, un design simple, un texte actif qui ne mâche pas ses mots, mais aussi un seul argument par annonce. Vouloir tout dire aux consommateurs, c'est ne rien leur dire. Voilà le style publicitaire désormais classique de Doyle Dane Bernbach, qui a non seulement résisté au passage des années, mais aussi au va-et-vient des artisans concepteurs. Depuis l'équipe originale composée de Helmut Krone, directeur de la création, Julian Koenig, rédacteur-concepteur et Bill Bernbach bien sûr, pas moins de dix équipes créatives se sont succédé au fil du temps sur le compte Volkswagen, sans qu'aucun changement ne survienne dans le genre et la forme des annonces.

2

Dans les années où la mode automobile reluisait par le chrome et les gros moteurs, la créativité de Bill Bernbach a contribué à transformer une voiture laide, petite, lente et bas de gamme en un véhicule populaire, désirable et attachant. À l'instar de Leo Burnett, Bernbach propulsait ainsi la stratégie de la marque/personnalité. Volkswagen est devenue à l'époque le 6e plus gros vendeur de voitures aux États-Unis.

1

2

3

4

5

3

Un visuel dominant, interpellant, chargé d'émotions. Aucun titre. Cette annonce de Polaroid constitue néanmoins une démonstration directe du bénéfice du produit, amplification créative à l'appui.

4

Briser les règles ! Toute la publicité de l'époque, guidée par les réalisations de Ogilvy et Bernbach lui-même, privilégiait l'usage du visuel. Mais Bernbach renverse la vapeur lors de cette célèbre campagne d'Avis : le titre domine, le texte abonde, néanmoins actif, un tout petit visuel évocateur surprend.

5

Pas moins de 12 agences avaient refusé de faire la publicité d'Avis, en raison de la précarité financière de la compagnie et de sa piètre performance dans le marché. Doyle Dane Bernbach accepte néanmoins de prendre le compte en main, à condition d'avoir 90 jours pour préparer la campagne et que le client ne change pas «la moindre putain de virgule» dans les concepts.

1

Créer une histoire à partir du simple produit et du jeu de rhétorique entre le visuel et le titre. L'art grandiose de mettre en valeur ce qui apparaît pourtant banal aux yeux de la majorité.

2

Savoir faire fi des conventions et des lieux communs, vive la différence! Chlak! Pas de titre-promesse dans cette annonce, mais le titre-destination qui plane au ciel. Pas de plage à perte de vue, mais une photo anecdotique. Pas de texte enchaînant bêtement les avantages du séjour, mais bien le récit actif d'un mariage jamaïcain livrant de façon authentique les us et coutumes envoûtants du pays.

3

«Scandale!» se sont écriés les observateurs. Comment peut-on oser admettre qu'on est seulement le numéro 2? Mais en l'espace d'un an, grâce à la campagne choc de Bernbach, Avis passa d'une perte annuelle de plus de 3 millions de dollars à un profit de plus de 1 million.

1

2

3

4

5

David Ogilvy

David Ogilvy a été l'un des deux rédacteurs publicitaires américains les plus importants des années de l'après-guerre, avec Bill Bernbach. Ensemble, ils auront contribué à la disparition – temporaire, il faut admettre – des points d'exclamation dans les textes. Car Ogilvy affirmait qu'il faut parler au consommateur comme on parle à sa femme : s'abstenir des clichés vides de sens, du tordage de bras et des impératifs sans condition.

Écossais venu aux États-Unis à la fin des années 1930 pour travailler à la maison de recherche de George Gallup, David Ogilvy n'avait jamais rédigé de publicité lorsqu'il décida de fonder en 1949 sa propre agence, Ogilvy et Mather, au même moment où Bernbach lançait la sienne. Néanmoins, c'est à Ogilvy qu'on doit les premières campagnes célèbres de l'époque, notamment celles de Rolls-Royce et Hathaway. Plusieurs

4
Voilà la campagne qui propulsa l'agence Ogilvy et Mather, rendit célèbre le mannequin utilisé, devint pratiquement un sujet de discussion publique et fit augmenter carrément les ventes. Un soir à la maison, Ogilvy faisait la liste des éléments pouvant contribuer à bâtir une histoire. Dix-neuvième idée, un bandeau noir sur l'œil.

5
La mise en page classique d'Ogilvy : une photo dominante, un titre pouvant comporter jusqu'à neuf mots, et enfin un bloc de texte sur 3 colonnes pouvant accueillir 240 mots. Il s'agit d'ailleurs de la meilleure campagne de la carrière de l'essayiste publicitaire. À partir d'un produit inconnu, au nom imprononçable, au goût douteux et au prix 50 % plus cher que celui de ses concurrents, la publicité d'Ogilvy fit vendre 40 millions de bouteilles de Schweppes par année.

observateurs attribuent à Ogilvy le titre de plus grand essayiste publicitaire américain. Certes, il a injecté dans le métier une rare finesse et une vivacité d'écriture, reposant à la fois sur la grâce du style narratif et la teneur informative.

«Lorsque j'ai commencé en publicité, a raconté Ogilvy, j'étais renversé par l'écart entre le contenu éditorial et le contenu publicitaire dans les grands magazines. Les éditeurs s'adressaient avec goût à des lecteurs intelligents, tandis que la publicité semblait écrite pour des idiots.» Un sociologue de l'époque, William H. Whyte Jr., avait aussi noté à quel point les textes publicitaires américains s'enlisaient. Les points de suspension étaient employés 16 fois plus souvent que dans les textes ordinaires. Les mots en italique, 50 fois plus souvent. Sans compter les superlatifs à outrance. Capitalisant sur le constat, Ogilvy misa littéralement sur le texte plus vrai que vrai.

Vraie, l'approche Ogilvy n'est pas sans comporter d'analogies avec le style éditorial des périodiques. L'image, presque exclusivement photographique, domine le plus souvent l'espace disponible. Pour conférer au réalisme, elle fait appel dans sa réalisation à des photographes de magazines, tels ceux du *Time*. Sous l'image, un titre relativement long en caractères gras. Et le texte abonde, il va de soi, chez Ogilvy. Résultat : le style se révèle franchement journalistique, l'image et le titre racontant un fait ou une histoire qui visent à augmenter l'attention et la crédibilité portées au message.

L'histoire sous-jacente aux publicités d'Ogilvy est parfois bien réelle, comme ce fut le cas pour les campagnes de Shell et de Rolls-Royce. Ogilvy avait indéniablement le don de monter en épingle un élément, d'en faire le cheval de bataille du produit annoncé et de le développer astucieusement au fil de l'argumentaire, peu importe si l'élément en question aurait pu s'appliquer également à un produit compétiteur. L'important, c'est d'être le premier à affirmer la chose de manière crédible.

L'autre mise en page parfaite selon Ogilvy. Elle permet une large et courte photo, un titre comptant facilement jusqu'à 20 mots, un sous-titre pouvant comporter près de 30 mots, plusieurs intertitres et un texte allant jusqu'à 800 mots. Le style est journalistique et narratif : serait-ce l'ancêtre du publireportage et de l'infomercial ?

La trame des pubs d'Ogilvy n'est parfois aussi que pure fiction, ou fantaisie planifiée pour rendre le produit plus désirable. La crédibilité repose alors dans la rédaction du texte. Ce modèle fut utilisé entre autres pour la célèbre campagne des chemises Hathaway, construite autour d'un personnage taillé de toutes pièces.

Contrairement à Bill Bernbach qui travaillait toujours avec un directeur artistique, David Ogilvy se chargeait lui-même des mises en page, choisissant souvent les photos et le style typographique. Et contrairement à Bernbach qui rejetait d'emblée la recherche, Ogilvy prétestait occasionnellement ses titres et ses textes. Après s'être aperçu que certains mots qu'il employait s'avéraient incompris, ou trop compliqués, il s'efforça par la suite d'adopter un vocabulaire plus accessible.

David Ogilvy aura été un cauchemar pour les directeurs artistiques, qui devaient suivre à la lettre ses normes de disposition. Et un cauchemar encore plus effrayant pour les rédacteurs qui ont tenté de le plagier. S'il est convenu de dire que ce n'est pas un jeu d'enfant d'écrire un texte publicitaire qui soit à la fois vendeur et coulant, il apparaît encore moins facile de pondre une dissertation publicitaire. Surtout qu'Ogilvy pouvait réécrire jusqu'à 20 fois un texte avant d'être satisfait. Coïncidence ou corollaire, la technique Ogilvy se révéla vraisemblablement plus efficace en imprimé qu'à la télévision.

Sans doute la plus célèbre annonce de voitures qui ait jamais été conçue. Sa première parution, en avril 1958 dans **The Wall Street Journal, The New Yorker, The New York Times** *et le magazine* **Sunset** *(au coût total de 25 000 $, production incluse), engendra six millions de dollars de ventes. Cette surcharge de commandes et de production chez Rolls-Royce entraînera, 4 ans plus tard, la fin de la relation d'affaires avec l'agence.*

Jay Chiat

Remontons encore les années pour découvrir deux publicitaires américains plus contemporains dont la contribution à l'idéation est peu banale.

Le premier, Jay Chiat, est le cofondateur d'une agence portant son nom, avec siège social à Venice (en banlieue de Los Angeles), et dont le modus vivendi repose sur la croissance de la création. Son associé se nomme Guy Day, un manitou de la finance. En 1980, l'agence Chiat Day se chiffre à 100 employés, une facturation annuelle extrapolée de 100 millions de dollars, mais est encore perçue comme une boîte régionale de la côte ouest californienne. Dix ans et plusieurs ouragans plus tard, Chiat Day atteint une facturation de 1,3 milliard et compte désormais 1 200 employés en plus d'une quantité presque aussi imposante de trophées en création. Chiat Day est en outre la seule agence à s'être fait décerner deux fois le titre d'agence de l'année à l'intérieur de la décennie 80 par le périodique *Advertising Age*.

Chez Chiat Day, c'est à l'idéation de propulser la publicité et non à la stratégie; c'est d'ailleurs cette doctrine que Jay Chiat soutient énergiquement lors des présentations au client. Mieux vaut défendre pourquoi le risque en vaut la chandelle plutôt que de se plier politiquement à la première réserve de l'annonceur.

Cette médication fut notamment injectée à grandes doses dans les campagnes des ordinateurs Apple, le compte publicitaire qui a véritablement lancé l'agence. Apple aura été pour Chiat Day ce que Volkswagen a mis en route pour Doyle Dane Bernbach et ce que Hathaway a fait pour Ogilvy & Mather. On se souviendra peut-être de la fameuse édition spéciale «Élections» du magazine *Newsweek* où Apple s'appropria la totalité des pages de publicité. Ou encore du megaconcept diffusé une seule fois pendant le Super Bowl de 1984 : un message aussi apocalyptique que son idée de base inspirée du roman 1984 de George Orwell.

Sans oublier les Yamaha, Pizza Hut, Nike, Nissan et autres

clients de Chiat Day qui hériteront de pareilles idées chocs à grand déploiement.

Déploiement créatif mais aussi déploiement média, comme en témoignaient dès 1969 l'utilisation de quatre doubles pages consécutives pour lancer Fairchild dans le domaine des transistors, ou l'insertion de pas moins de 20 pages consécutives dédiées aux motocyclettes Yamaha, des premières en leur genre qui ont été, depuis, copiées par Pierre, Jean, Jacques. Et que dire aussi de l'application média déployée lors des Jeux olympiques de Los Angeles en 1984 : pendant que les annonceurs ordinaires investissaient des millions en médias traditionnels, Chiat Day réussit à tapisser la ville de murales signées Nike, aux couleurs de Carl Lewis, de vedettes locales des Raiders de L.A., ainsi que d'autres héros du sport moderne. Toutes les caméras, tous les reportages capteront au passage ces images, qui ont pratiquement octroyé à Nike le statut de commanditaire officiel des jeux pour seulement quelques poignées de dollars.

Lancée par le dynamisme de son président et surtout par l'éclat de ses campagnes, Chiat Day accélère sa foulée sans le moindre froid aux yeux. L'année 1989 marque la fusion avec l'importante agence australienne Mojo MDA, dans la perspective de pouvoir regrouper rien de moins que les meilleures ressources créatives au monde! Dans les grands pots, les grands onguents... (sic) Jay Chiat n'hésitait même pas, à cette époque, à embaucher Ronald Reagan comme conférencier pour mousser son développement d'affaires.

Mais en 1990, Chiat Day perd coup sur coup les comptes de Reebok, Sara Lee, Bissell et Arrow. L'année suivante, la compagnie résilie de son propre chef 25 millions de dollars d'activités publicitaires en Australie, préférant se concentrer sur les clients aux mandats les plus prometteurs, créativement parlant.

Peu importe la hauteur des vagues, Chiat continue à surfer. Il faut avant tout optimiser le climat où baigne la création, pour que celle-ci nage dans une expression renouvelée. C'est ainsi que Chiat Day Los Angeles met sur pied en 1993 ce qui est convenu d'appeler le premier bureau virtuel dans l'industrie publicitaire, un changement organisationnel aussi important selon Chiat que la révolution industrielle. Au cœur de cette nouvelle structure, les concepteurs peuvent désormais travailler à la maison s'ils le désirent, aux heures et dans l'ambiance qui leur conviennent, munis d'un terminal informatique et d'un modem. De leur côté, les responsables du Service à la clientèle sont invités à passer trois jours par semaine chez leurs clients pour mieux comprendre encore leur culture et leur problématique. Résultat : les locaux physiques de l'agence sont redéfinis en une série de salles de travail aménagées spécifiquement pour chaque client. Quant à Jay Chiat lui-même, il conserve la liberté de travailler dans un bureau, ni plus grand ni plus petit que celui qu'il a toujours eu : un local de taille identique à celui auquel aurait droit le plus junior des rédacteurs.

Un virage majeur par année n'étant pas assez, Chiat Day s'engage dès la fin de 1993 sur l'autoroute électronique et les communications interactives. En somme, la créativité *built for the human race*, à l'image du puissant slogan de Nissan conçu précédemment par l'agence.

1

2

1
Un concept explosif, tant dans sa formulation que dans sa mise en page. Une grande idée, pourtant toute simple, lie la promesse d'un changement d'huile fiable à la crise arabe du pétrole. Suffit d'y penser ! Chez Chiat Day, les heures ouvrables quotidiennes se terminent à 1 h 30 du matin.

2
Un titre pit-bull, combien plus mordant et imagé qu'une expression du genre « Soulage la mauvaise haleine ». Non seulement la mise en page propulse-t-elle les éléments clés, mais elle laisse au lecteur de la place pour s'interroger personnellement.

1

Utilisation inventive du média : l'aspirateur avale, mine de rien, une colonne poussiéreuse faisant partie de l'annonce. Le résultat fait sourire, mais ne fait pas rire : Jay Chiat ne croit pas à l'humour en publicité.

2a et b

L'approche est encore une fois directe, la formulation concrète et imagée. La mise en page reprend ingénieusement le code visuel utilisé par les avertissements sur les paquets de cigarettes.

3a à c

Amplifier le bénéfice du produit par une mise en scène télévisée enlevante, atterrissant sur un seul argument. Deux hommes font un saut de bungee du haut d'un pont. On retient son souffle. Un seul reste en piste, ses Reebok tenant mieux aux pieds.

4a à c

Ce golfeur professionnel n'a pas choisi ses souliers, ni sa visière, ni son t-shirt, ni sa balle, qui sont tous commandités. Mais la compagnie Taylor Made n'a cependant pas eu à le payer pour utiliser ses bâtons. Une annonce télévisée qui tire tout son potentiel accrocheur de la simple présence des caches noires au cœur de l'histoire.

1

3a

3b

3c

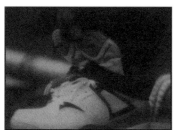

4a

4b

4c

1a à 1m

Dans son numéro spécial sur les 40 ans de la télévision, le magazine Advertising Age *affirmait qu'il s'agit probablement du meilleur message télévisé jamais réalisé à ce jour.*

Le briefing : Steve Jobs et Stephen Wozniak, les deux whiz kids qui ont inventé l'ordinateur Apple, s'entourent d'un chef de file en marketing, Mike Markkula, et de l'ancien président de Pepsi, John Sculley, avec comme objectif de faire de leur compagnie le seul vrai rival de IBM. Selon eux, il n'y a de place que pour deux ténors dans le marché : Coke et Pepsi, Hertz et Avis, IBM et Apple.

1a

L'équipe créative : Jay Chiat, Lee Clow (directeur de la création), Steve Hayden (concepteur-rédacteur) et Ridley Scott (oui oui, le Ridley Scott du grand écran qui a accouché d'Alien, de Blade Runner, *de* Thelma et Louise, *etc.).*

Le concept : inspiré du roman 1984 de George Orwell, le film de 60 secondes débute sous une trame sonore hallucinante, par la vision apocalyptique d'individus chauves qui avancent à la queue leu leu dans un couloir souterrain. Un commentateur apparaît, proclamant l'unification de la pensée et la purification de l'information. Symbolique évidente : l'emprise aliénante de Big Brother IBM sur les usagers d'ordinateurs personnels. Soudain, une jeune athlète s'élance du fond de la salle, vêtue d'un short rouge et d'un t-shirt blanc sur lequel est imprimé le logo de Macintosh. Elle tient un immense marteau, le fait tournoyer, puis le lance sur l'écran qui explose dans une nuée de lumière. Après que la caméra a effectué un dernier retour sur la légion de morts vivants, signature audio/vidéo et logo.

1e

L'audace créative : le message ne sera diffusé qu'une seule fois, pendant le Super Bowl, au coût d'un million de dollars. La production a sans doute coûté autant, sinon plus. Pourtant, le produit n'apparaît à aucun moment et le nom de la marque n'est mentionné qu'une seule fois, à la toute fin.

Les récompenses : ce concept raflera le Grand Prix du festival publicitaire de Cannes, ainsi que 34 autres distinctions publicitaires à travers le monde. Sans compter l'impact du marché : deux mois et demi après la diffusion du message, 50 000 Macintosh ont été vendus. Il avait fallu plus de deux ans à l'Apple II pour atteindre ce plateau, tandis qu'IBM mettait normalement sept mois pour écouler une quantité comparable de pc.

Tom McElligott

Si l'agence de Jay Chiat a remporté au fil des ans une véritable basse-cour de coqs publicitaires, que dire de Tom McElligott, le gourou rebelle des temps modernes qui a inspiré et qui continue d'inspirer tous les jeunes concepteurs, au point de les inciter à faire un pèlerinage à Minneapolis, temple sacré du maître.

Né en 1944, Tom McElligott amorce sa carrière de publicitaire comme rédacteur pour le magasin à rayons Dayton. Il franchit la rampe vers les agences en 1972, lorsqu'il est embauché par Knox Reeves où il fera équipe avec le directeur artistique Ron Anderson. Anderson a 20 ans de métier, McElligott y fait ses premiers pas, pourtant tous deux partagent une soif insatiable d'excellence. Ensemble, ils éplucheront la panoplie de répertoires créatifs américains (les *CA*, les *The One Show*, etc.) jusqu'à les connaître par cœur et être capables de nommer qui a gagné les Clios en 1966, ou qui est le rédacteur le plus hot à Memphis. Ensemble, ils développeront des campagnes à succès pour la Croix-Rouge, Northwestern Bell, la ville d'Omaha, l'Église Épiscopale et d'autres.

Cascade d'événements. McElligott devient vice-président en charge de la rédaction publicitaire chez Knox Reeves. Puis l'agence se voit achetée par Bozell & Jacobs, où travaillait la directrice artistique Nancy Rice. Cherchant constamment les projets d'idéation à défis, McElligott entreprend parallèlement des travaux à la pige après les heures normales de bureau avec un certain Pat Fallon. Ce projet très valorisant pour eux sera baptisé Lunch Hour Ltd.

La notoriété grandissant, les trophées de création s'accumulant, McElligott commence à recevoir plusieurs offres d'emploi alléchantes de grosses agences de New York, Chicago et autres. Mais McElligott déteste les compromis sur la création et encore plus les agences qui en font. Attaché à son coin de pays, lié à ses principes, il quitte Bozell & Jacobs en 1980 et prend un an pour planifier l'ouverture de son agence, en compagnie de Pat Fallon et Nancy Rice, qui ont également largué leur boulot.

Caressant l'objectif de devenir une des meilleures boîtes aux États-Unis, voire au monde, Fallon, McElligott, Rice (FMR) voit le jour en 1981. Deux ans plus tard, l'agence se voit déjà couronnée agence de l'année par le périodique *Advertising Age*.

De plus, elle fut consacrée par l'acquisition du budget du

1

Par une phrase-choc comme titre, on voit naître le style McElligott à ses débuts chez Knox Reeves. La mise en page est cependant chargée, l'utilisation de majuscules ne favorisant pas la lisiblité de l'accroche.

2

Un dialogue entre titre et visuel à en couper le souffle. Pas besoin de texte avec un message aussi puissant. Le style McElligott frappe fort.

3a

Hungry? Tired? Divorced? BRINGER'S CALL 941-FOOD

3b

Now serving couch potatoes. BRINGER'S

3c

Too fried to cook? BRINGER'S

4a

Yum.

Move your business to Omaha and take your clients out for the best steaks in America.

Omaha — 1620 Dodge St. Suite 2100, Omaha, Nebraska 68102

4b

Zzz.

Move your business to Omaha and sleep later every morning because you don't have to commute.

Omaha — 1620 Dodge St. Suite 2100, Omaha, Nebraska 68102

4c

Argh.

Move your business to Omaha and stop choking on high utility costs.

Omaha — 1620 Dodge St. Suite 2100, Omaha, Nebraska 68102

4d

Gulp!

Move your business to Omaha and stop swallowing the high cost of labor.

3a à 3c
Trois exécutions d'affichage extérieur dont les mots et les expressions ont un grand pouvoir d'évocation. Une autre campagne qui suscite un déclic lors de son décodage.

4a à 4d
Le titre en onomatopée attire l'attention et incite à la lecture d'un court texte où l'intrigue trouve sa réponse. Un concept simple, bien exploité visuellement, qui gagne en intérêt dans la multiplication des exécutions.

1

2a

2b

1

Même après que Tom McElligott eut plié bagage, l'agence conserva son nom et sa force de frappe créative, comme en témoigne cette annonce d'autopromotion qui récolta de l'or de plus d'une façon...

2a et 2b
Si ce n'était du visuel qui interroge le lecteur et du titre qui le remet carrément en question, on pourrait confondre avec une annonce typique d'Ogilvy. Mais impossible de confondre.

3

4

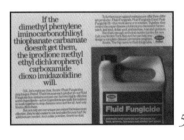

5

3
Les premières campagnes de Porsche signées de la main même de McElligott avaient comme titre : « Fire the chauffeur ».

4
Encore une fois, le titre et le visuel interpellent le lecteur, l'incitent non seulement à porter attention, mais aussi à réfléchir avec cœur et raison. N'est-ce pas l'interactivité fondamentale vers laquelle devrait tendre toute publicité ?

5
Un titre dévastateur...

Wall Street Journal, l'un des comptes les plus convoités au pays de l'Oncle Sam. Sans compter les innombrables statuettes et trophées reçus lors de galas de créativité. En cette année 1983, FMR compte 24 employés et une facturation annuelle de 10 millions. En 1985, l'agence emploie 70 personnes et gère une facturation de 45 millions. Trois ans plus tard, elle atteint une facturation de 132 millions et compte parmi ses principaux clients l'Église Épiscopale, le magazine *Rolling Stone*, Fedex (Federal Express), le whisky Jack Daniels, la chaîne de magasins Bloomingdale's, Porsche et, bien sûr, le *Wall Street Journal*.

Les annonces de McElligott font bang! De véritables coups de poing sur la table. Des titres extrêmement percutants, souvent ironiques, parfois un peu longs, accompagnés de visuels surprenants, incluant à l'occasion d'anciennes photographies ou de vieilles illustrations. Si les premiers succès de l'agence sont effectivement le résultat de campagnes imprimées, certains observateurs en profiteront pour cataloguer Fallon, McElligott, Rice comme une agence plus à l'aise avec les médias écrits. Quant aux vieilles photos, McElligott expliquera simplement qu'elles étaient moins dispendieuses à obtenir, facilitant donc le travail d'une agence naissante qui vise avant tout à se distinguer par sa création.

«Le dénominateur commun de tout notre travail, a dit McElligott, c'est que nous sommes prêts à nous casser le cou pour être différents. Si le chargé de compte ne tremble pas un peu dans ses culottes avant de présenter le concept au client, s'il n'a pas les mains moites, il y a certainement quelque chose que nous n'avons pas fait comme il faut.»

Audace. Créativité. Aucun compromis. Cette trinité de commandements est si profonde chez McElligott qu'elle l'incite à la croisade contre les Antépubs, ces approches créatives et ces agences qui se retranchent dans des voies prudentes. McElligott redoute même le jour où sa propre passion et son intensité fléchiront. N'hésitant pas à critiquer avec virulence l'industrie, McElligott a déjà affirmé que pas moins de 95 % des annonces produites aux États-Unis sont inefficaces et que seule une poignée de créateurs sont capables de rédiger des textes percutants. Tin toé! Parmi ces rares modèles d'efficacité, McElligott réfère inlassablement à Raymond Rubicam, Leo Burnett et Bill Bernbach.

Il n'est sans doute pas surprenant de constater que le credo du maître bannit la recherche. Pas celle, stratégique, qui, elle, mérite sa place, mais bien celle entourant la création. Pour McElligott, les prétests créatifs, en groupes de discussion ou relevant de toute autre technique, ne sont rien de moins qu'une lobotomie de concepts. On se retrouve après coup avec des idées bien comprises, sans irritants, mais qui n'intéressent plus personne et qui sont mortes dans l'œuf avant même d'avoir été diffusées.

En 1988 et 1989, le magazine américain *Winners* désigne Tom McElligott comme le directeur de création ayant remporté le plus grand nombre de prix d'excellence créative.

En 1989 cependant, McElligott quitte FMR pour des raisons de désaccord sur la vision créative. Ou était-ce l'alcoolisme qui le rongeait?

Le premier janvier 1990, il est nommé vice-président éxécutif de la création chez Chiat Day Mojo pour les bureaux de New York, Montréal, Toronto et Londres. Au mois de juin 1990, il prononce une conférence à Montréal sous l'égide du Club des Créatifs.

En septembre de la même année, Tom McElligott rompt son association avec Chiat Day et recrée une agence à Minneapolis.

Jacques Bouchard

Tournons-nous maintenant vers nos McElligott Tremblay et Chiat Lalonde. Mais d'abord, deux grands pionniers de la publicité au Québec. L'un par la langue. L'autre par l'image.

1949. Un jeune homme de 19 ans entre dans la jungle publicitaire comme traducteur chez Vickers & Benson. Pourtant, il ne parle pas un traître mot d'anglais, ce qu'il avait tout bonnement omis de mentionner lors de l'entrevue! Quelques années plus tard, Jacques Bouchard entreprend de farouches batailles pour créer une association de publicitaires francophones à Montréal. À l'époque, l'Advertising and Sales Executives Club of Montreal ne compte en effet aucun francophone au sein de son conseil d'administration. Le 14 mai 1958, après deux réunions aussi célèbres que houleuses, le Publicité-Club de Montréal voit le jour.

Fonceur, bâtisseur, meneur de troupes, Jacques Bouchard a consacré une bonne partie de sa carrière au service de la publicité créée ici. Père de la symbolique des lits jumeaux, qui engendrera plus tard le concept des 36 cordes sensibles des Québécois, Bouchard a défendu haut et fort le fait que les Québécois ont leurs différences. D'où la nécessité de réaliser ici la création des pubs, plutôt que de traduire ou d'adapter, ce qui était pratique courante à l'époque.

Trente-cinq ans plus tard, le discours maintes et maintes fois prononcé par Jacques Bouchard sème encore la controverse : dans une ère où la microchirurgie marketing est maintenant possible, faut-il développer autant d'idées qu'il y a de marchés (géographiques, sociodémographiques ou psychographiques) ? Ou doit-on plutôt jouer la carte de la mondialisation des marchés en visant les économies d'échelle, à savoir ne développer qu'une idée qui pourra par la suite être adaptée selon les besoins ?

En 1963, étape charnière dans l'histoire de la publicité francophone au Canada selon le périodique *Marketing*, Jacques Bouchard fonde l'agence BCP, en compagnie de Jean-Paul Champagne et de Pierre Pelletier. Les deux associés partent deux ans plus tard, lors d'une impasse financière où Bouchard se voit

La campagne qui a vraiment lancé BCP alliait, mine de rien, plus d'un atout. D'abord, un élan d'identification par la mise en scène authentique de travailleurs dans l'exercice de leur métier. Deuxièmement, l'apport d'un porte-parole humoristique chèrement prisé à l'époque, Olivier Guimond. Enfin, une commandite média inventive à l'intérieur de l'émission télévisée Cré Basile où Olivier Guimond était lui-même la vedette. Pendant le message de Labatt 50, Guimond disait simplement : « Y en aura pas de commercial », tout en faisant le geste d'ores et déjà associé au slogan « Lui, y connaît ça ! » (lever son pouce).

endetté d'un demi-million. Il décroche cependant le compte de la ville de Montréal et surtout celui de la brasserie Labatt, où il a déjà travaillé. La campagne *Lui, y connaît ça!* qui suivra, constituera le coup d'envoi pour BCP.

Un slogan familier, une ritournelle accrocheuse, une vedette ou un enfant comme porte-parole, la recette de Bouchard et BCP a envoûté toute une époque. Qui ne se souvient de *On est 12 012*, la signature d'Hydro-Québec, *Mon bikini, ma brosse à dents*, slogan d'Air Canada dont la porte-parole était Dominique Michel, *Qu'est-ce qui fait donc chanter les p'tits Simard?*, ritournelle pour les poudings Laura Secord,

Pop-sac-à-vie-sau-sec-fi-co-pin, thème du Mouvement Desjardins avec la jeune Marie-Josée Taillefer comme porte-parole, *Dominion nous fait bien manger*, slogan des supermarchés Dominion avec Juliette Huot en tête, ou *On est 6 millions, faut se parler*, signature chantée de la brasserie Labatt. Des campagnes presque aussi mémorables que *Yesterday* des Beatles.

Jacques Bouchard et BCP ont développé une «québécitude» du langage, qui s'exprimait autant dans le graphisme, les visages, le vocabulaire que dans la musique. Par ses slogans populaires, tels de grands cris du cœur qui n'hésitaient pas à tutoyer l'auditoire, Bouchard a répété aux gens qu'ils étaient beaux,

1
Exemple éloquent de l'approche Bouchard.
Le slogan a une valeur de premier plan dans
la communication : il doit être clair,
mémorable, euphonique (Hydro-Québec
poursuivra quelques années plus tard par
« On est propre, propre, propre »). Quant à
l'application télévision, elle mise sur le
témoignage un peu gauche mais crédible
d'un monteur de ligne dans son poteau, d'un
technicien ou d'un chauffeur de camion qui
nous livrent humblement, en roulant leurs r
et en souriant maladroitement, toute leur
bonne foi et leur engagement.

1

2a

2b

TÔT
RONTO

2c

3a

3b

forts et compétents. Avec une publicité sentimentale, positive, rassembleuse, BCP a été pendant des années la plus importante agence de publicité au Québec, et de loin.

En 1981, Jacques Bouchard crée le Centre international de publicité sociétale (mieux connu simplement sous le nom de Sociétal), visant à encourager la recherche et le travail des publicitaires lorsqu'ils ont à s'adresser au citoyen plutôt qu'au consommateur. Non sans une contribution remarquée, Sociétal ferme ses portes en 1987 pour des raisons financières. L'année suivante, Jacques Bouchard cède les rênes de BCP à son dauphin, Yves Gougoux.

2a à 2c
Outre l'utilisation d'enfants, de témoignages et de ritournelles qui se traduisaient souvent par des exécutions en télévision, Jacques Bouchard et BCP jouaient habilement sur le langage. Le nombre de syllabes d'un slogan, l'accent tonique, les sonorités des phrases et des mots : c'est dans les détails qu'une grande idée peut prendre son envol.

3a et 3b
L'agence avait un budget limité. Elle a néanmoins opté pour les plus forts canons potentiels de l'époque : un message télé, une vedette montante, une ritournelle. Résultat : une notoriété insoupçonnée pour Laura Secord, et même pour René Simard qui y puise une contribution à sa carrière presque aussi évocatrice que L'oiseau.

Claude Cossette

Si Jacques Bouchard a séduit par ses tournures de phrase aguichantes, Claude Cossette a consacré et continue de consacrer une partie importante de sa vie à connaître et maîtriser le pouvoir des images. Résultat : un kaléidoscope!

Diplômé en arts et techniques graphiques de l'École Estienne à Paris, Claude Cossette a d'abord fondé en 1964 un studio de graphisme à Québec, à une époque où cette discipline était à peu près inexistante en Amérique du Nord. Instigateur d'un produit créatif principalement axé sur l'image, il n'en demeurait pas moins exigeant pour la qualité des textes et de leur mise en page. La lisibilité typographique était par lui minutieusement étudiée pour assurer l'efficacité communicationnelle des messages.

En 1969, Claude Cossette s'associe à parts égales à l'ex-directeur général de l'agence MacLaren à Québec pour proposer à ses clients un éventail plus large de services en communication sous le nom de Cossette Associés Groupe Marketing. Mais en 1972, après des difficultés financières et un différend philosophique avec son partenaire, il décide de s'en dissocier et de s'adjoindre plutôt cinq jeunes cadres de son entreprise : Paul Lefebvre, Bernard Paquet, Fernand Simard, Louis Larivière et Claude Lessard. Cossette, ce sera désormais toute la communication du marketing intégrée à une planification stratégique globale. L'agence développe une offre multi-produits au service de sa clientèle, comprenant la promotion des ventes, l'animation du personnel, les relations publiques et... le marketing direct, bien qu'on soit encore au début des années 1970.

Propulsé haut par son engagement de communicateur avec un grand C, Claude Cossette innove en intégrant la recherche parmi son arsenal créatif, mais pas une recherche qui étouffe la créativité, bien au contraire. Il développe des grilles d'analyse sémiologique pour optimiser l'efficacité du message image-texte. Il voit à ce que pareilles analyses soient possibles pour les messages électroniques aussi bien que pour les messages imprimés. À peu près en même temps que Jacques Bouchard propose son modèle des «36 cordes sensibles des Québécois», Cossette développe la «comportementalité»; il publie *Le Québécois se fend en quatre*, dans lequel il démontre qu'une population se divise psychographiquement en quatre groupes, soit les inertes, les amovibles, les mobiles et les versatiles. La typologie de Claude Cossette est encore aussi vraie aujourd'hui qu'il y a 20 ans.

1 et 2
Dans sa période charnière entre graphisme et publicité, Cossette a conçu, avec son directeur artistique Bernard Méoule, quelques campagnes remarquées comme celle de Place Québec.

 *1*  *2*

Universitaire globe-trotter, Claude Cossette a sans cesse poussé sa réflexion et sa recherche au-delà du tout cuit et du déjà vu. Son influence européenne et sa passion pour l'image aidant, il favorisera au sein de l'agence l'explosion du brio en affichage extérieur, une maîtrise très rare à l'époque, qui deviendra d'ailleurs un des fleurons convoités de l'agence. Sous son leadership incendiaire paraîtront des campagnes marquantes pour tout le Québec comme celles des Auberges des Gouverneurs («Oui! Monsieur!»), de Desjardins («Parlons d'argent»), du Festival d'été de Québec, de la Renault 5 («Le chnac, ça s'attrape»), de la télévision Radio-Québec («L'Autre télévision») et des restaurants McDonald's.

3a

3b

3c

3d

3e

3f

3g

3h

3a à 3h
Au début des années 1970, Cossette et son ami Louis Larivière proposent à Giguère Automobiles un message télé «percutant» (tourné en Georgie, avec collaboration d'artificiers du Viêtnam... suivi, à cause d'un point critiquable sur le plan écologique, d'une campagne colatérale en relations publiques).

Dans l'idée de Claude Cossette, la créativité publicitaire ne doit pas se traduire par des statuettes lors de concours, mais par une efficacité communicationnelle prouvée. L'impact créatif, le souci d'efficacité, le détail dans la mise en page, ainsi que l'exploitation maximale du média sont ses préoccupations constantes.

Communicateur, communicologue et j'en passe, Claude Cossette troque en 1982 son chapeau de président d'agence pour un rôle à temps plein dans l'enseignement et la recherche sur la communication visuelle. Il publie des ouvrages qui sont devenus des bestsellers sur la communication visuelle et la publicité. L'agence garde son nom; Claude Lessard en prend les rênes.

 1a

 1b

1a à 1d
À la suite d'une recherche poussée, Cossette et son associé Paul Lefebvre convainquent la Régie de l'Assurance-maladie du Québec de baptiser sa carte d'identification « La carte-soleil » : l'espoir après la maladie. Une perle de communication visuelle qui défie le passage des années.

 1c

 1d

2
Cossette obtient le compte de la Renault 5 pour le Québec. Cossette propose sa campagne « Le Chnac, ça s'attrape », défendue par Jean-Jacques Stréliski alors directeur de la création. La Renault 5 atteint des records de vente inespérés.

2

3

4a

4b

4c

4d

4e

4f

3
Une des grandes images d'entreprise du Québec est celle de Québec Téléphone qui couvre la plus grande partie du Québec. Cossette met au point l'image graphique, la «vend» à la haute administration, implique le personnel, met en place un processus d'homogénéisation et de stabilité. Québec Téléphone en savoure encore les retombées...

4a à 4f
Bernard Paquet convainc Ted Innes de la Dominion Corset Co que Cossette peut faire aussi bien que ses agences de New York pour sa marque Daisy Fresh. Cossette réalise sa première campagne pancanadienne. Il fait appel à Ian Ireland qui vient d'être élu «le plus bel homme de l'année»; il témoigne : « Elles sont belles ces Québécoises. J'ai entendu dire que Daisy Fresh y est pour quelque chose. » C'est un tel succès au Québec qu'on décide de diffuser le message à Toronto : un four!

PARTIE 5

*DES RESSOURCES POUR EN
SAVOIR PLUS*

Dans cette partie, nous avons rassemblé
des titres d'ouvrages capitaux sur l'idéation publicitaire, de même que quelques
références de concours et quelques adresses Internet pour les lecteurs qui voudront
pousser plus loin leur compréhension du
sujet.

PARTIE
5

PENTAX
À la pointe de la simplicité.

Au moment de mettre sous presse, la posologie suivante d'événements, de maisons d'enseignement, de livres et de périodiques pour usage abusif de créateurs pris du virus ne se veut pas exhaustive. Toutefois, c'est un départ.

Quelques associations de publicitaires et de créatifs

QUÉBEC

Le Publicité-Club de Montréal
4316, boul. St-Laurent
Montréal H2W 1Z3
Tél. : (514) 842-5681

ÉTATS-UNIS

International Advertising Association
342 Madison Avenue
Bureau 2000
New York 10173
Tél. : (212) 667-1133

FRANCE

Le Club des Directeurs Artistiques
12 Boulevard des Batignolles
Paris
À l'attention de Jacqueline Leydler
Tél. : 33-1-42934001

ANGLETERRE

D & AD
Graphite Square 85, Vauxhall Walk
London SE 11 5HJ
À l'attention de Claire Legon
Tél. : 44-71-5826487

ALLEMAGNE

Art Directors Club of Germany
Mellemstrasse 22
6000 Frankfurt am Main
À l'attention de Elly Koszytorz
Tél. : 49-69-5964009

ITALIE

Art Directors Club Italiano
Via Garofalo 19
20133 Milano
À l'attention de Simone
Tél. : 39-2-7741249

ESPAGNE

ADG
Brusi 45
08006 Barcelona
À l'attention de Eva Castellet
Tél. : 34-3-2091155

DANEMARK

Creative Circle Denmark
Dortheavej 3
2400 Kobenhavn NV.
À l'attention de Kirsten Harders
Tél. : 45-38-332552

SUÈDE

Sveriges Reklamforb
Engelbrektsgatan 43 b, Box 5656
11486 Stockholm
À l'attention de Marie Wallerstedt
Tél. : 46-8-7896651

SUISSE

Art Directors Club Schweiz
Oberdorfstrasse 15
8001 CH, Zurich
À l'attention de Ruth Fricker
Tél. : 41-1-262000033

AUTRICHE

Creative Club of Austria
Kochgasse 34/16
A-1080 Vienna
À l'attention de Ute Riermeier et Martina Berger
Tél. : 43-1-4085351

BELGIQUE

Creative Club of Belgium
Rue Volta 6 A
1050 Bruxelles
À l'attention de Joelle Debue
Tél. : 32-2-6463435

IRLANDE

Institute of Creative Advertising and Design
35 Upper Fizwilliam Street
Dublin 2
À l'attention de Sinead O'Gorman
Tél. : 353-1-4977859

PAYS-BAS

Art Directors Club Netherland
W.G. Plein 504
1054 SC Amsterdam
À l'attention de Marie-Lou Florisson
Tél. : 31-20-6850861

NORVÈGE

Kreativt Forum
P.O. Box 2660, Solli
0203 Oslo
À l'attention de Sissel Stlotenberg
Tél. : 47-22604002

Des concours qu'on court

Concours de création du PCM
4316, boul. Saint-Laurent
4e étage
Montréal (Québec)
H2W 1Z3
Tél. : (514) 842-5681
Matériel primé : télévision, radio, quotidiens, magazine, affichage,
publicité au lieu de vente, publicité directe, créativité médias,
campagnes, marketing direct, exploitation d'une commandite.

Le Mondial de la publicité francophone
380, rue Saint-Antoine Ouest
Bureau 3200
Montréal (Québec)
H2Y 3X7
Matériel primé : tous médias

Magazines du Québec (AQEM)
4316, boul. Saint-Laurent
Montréal (Québec)
H2W 1Z3
Tél. : (514) 499-9847
Matériel primé : magazines

Forum de la Publicité et du Marketing
Palesis Prince # 224b
Université Laval (Ste-Foy)
G1K 7P4
Tél. : (418) 656-5470
Matériel primé : tous médias

Marketing Awards
777 Bay Street
5e étage
Toronto (Ontario)
M5W 1A7
Matériel primé : télévision, radio, imprimés

Studio Magazine Awards
Toronto
Matériel primé : imprimés, télévision, vidéo, illustration,
photo, direction artistique, design graphique

The Crystals
146 Yorkville Avenue
Toronto (Ontario)
M5R 1C2
Matériel primé : radio

The Maggies
50 Holly Street
Toronto (Ontario)
M5R 1C2
Tél. : (416) 482-7307
Matériel primé : magazines

The Bessies
890 Yonge Street
Suite 700
Toronto (Ontario)
M4W 3P4
Tél. : (416) 923-8813
Matériel primé : télévision

Cassie Awards
777 Bay Street
5th floor
Toronto (Ontario)
M5W 1A7
Tél. : (416) 596-5834
Matériel primé : efficacité publicitaire tous médias

TVB Retail Competition
890 Yonge Street
Suite 700
Toronto (Ontario)
M4W 3P4
Tél. : (416) 923-8813
Matériel primé : télévision

Applied Arts Awards Annual
885 Don Mills Road
Bureau 324
Don Mills (Ontario)
M3C 1V9
Tél. : (416) 510-0909
Matériel primé : imprimés

Les Extras
10 Bay Street
Water Park Place, Suite 201
Toronto (Ontario)
M2J 2R8
Tél. : (416) 364-3744
Matériel primé : quotidiens

Golden Sheaf Awards
49 Smith Street East
Yorkton
S3N OH4
Tél. : (306) 782-7077
Matériel primé : télévision

International Broadcasting Awards
Hollywood (California U.S.)
North Hollywood
Tél. : (818) 769-4313
Matériel primé : télévision, radio

New York Festivals
780 King Street
Chappaqua (New York)
NY 10514
Tél. : (914) 238-4481
Matériel primé : imprimés, magazines, emballage

Clio Awards
400 Madison Avenue
Suite 1208
New York
NY 10017
Tél. : (212)593-1900
Matériel primé : télévision, cinéma, radio, imprimés

International Radio Festival
New York
Matériel primé : radio

London International Advertising Awards
76 Brewer Street
1er étage
Londres (Angleterre)
W1R 3PH
Tél. : 44 171 734 0682
Matériel primé : télévision, radio, imprimés

Grand prix international de l'affichage
Paris
Matériel primé : affichage

Festival international de la publicité presse et affiche
International Advertising Festival
Woolverstone House
2e étage
6162 Berness Street
Londres (Angleterre)
W1P 3AE
Tél. : 44 171 636 6122
Matériel primé : imprimés et affiches

Festival international du film publicitaire
International Advertising Festival
Woolverstone House
2e étage
6162 Berness Street
Londres (Angleterre)
W1P 3AE
Tél. : 44 171 636 6122
Matériel primé : télévision et cinéma

The one Club
32 East 21st Street
New York (U.S.A.)
NY 10010
Tél. : (212) 979-1900
Matériel primé : tous médias

MES 32 LIVRES DE CHEVET

Allard, Jean-Marie

La pub : 30 ans de publicité au Québec

Montréal, Libre Expression, 1989

Atlan, Henri et coll.

Création et créativité. Albeuve, Suisse, Éd. Castella, 1986

Aubert, Dominique et coll.

Développez votre créativité. Amsterdam, Éd. Time-Life, 1994

Bacus, Anne

Développez votre créativité. Alleur, Belgique, Marabout, 1992

Botton, Marcel

50 fiches de créativité appliquée

Paris, Éditions d'Organisation, 1980

Bouchard, Jacques

La publicité québécoise. Ses succès. Ses techniques.

Ses artisans. Montréal, Éditions Héritage, 1976

Brandandere, Luc de

Le plaisir des idées : libérer, gérer et entraîner la créativité.

Cambridge, Cambridge University Press, 1988

Carabin, Thierry M.

Testez votre créativité. Paris, De Vecchi, 1993

Cossette, Claude

La créativité, une nouvelle façon d'entreprendre.

Montréal, Transcontinental, 1990

Cusson, Paul

La créativité à l'ordre du jour. Saint-Zénon (Québec),

L. Courteau, 1993

De Bono, Edward

Réfléchir mieux. Paris, Les Éditions d'Organisation, 1985

Degrange, Michel

Pratique, théorie et technique de la créativité.

Paris, École nationale supérieure d'arts et métiers, 1993

Degrange, Michel

Recherches sur la créativité appliquée.

Paris, École nationale supérieure d'arts et métiers, 1989

Dru, Jean-Marie

Le saut créatif : ces idées publicitaires qui valent des milliards.

Paris, Lattès, 1984

Godefroy, Christian Henri

100 accroches à succès : elles ont fait leurs preuves.

Colmar, Selz, 1991

Greven, Hubert A.

La langue des slogans publicitaires en anglais

contemporain. Paris, Presses universitaires de France, 1982

Grunig, Blanche-Noëlle

Les mots de la publicité : l'architecture du slogan.

Paris, Presses du CNRS, 1990

Joannis, Henri

Le processus de création publicitaire. Stratégie,

conception et réalisation des messages. Paris, Dunod, 1988

Jaoui, Hubert

Créatifs au quotidien: outils et méthodes.

Marseille, Hommes et perspectives, 1991

Jaoui, Hubert

La Créativité : le trésor inconnu. Paris, Morisset, 1995

Lambert, Michèle

Être créatif au quotidien. Paris, Retz, 1991

Ogilvy, David

La publicité selon Ogilvy. Paris, Dunod, 1985

Osborn, Alex

Créativité, l'imagination constructive.

Paris, Bordas-Dunod, 1988

Penissard, Didier

Comment avoir des idées, méthode pratique: les secrets pour

développer votre créativité. Parthenay, D. Penissard, 1991

Quinn, Patrick

Secrets pour rédiger sa publicité. Paris, Top, 1991

Rouquette, Michel-Louis

La Créativité. Paris, Presses universitaires de France, 1989

Séguéla, Jacques
Pub story. L'histoire mondiale de la publicité
en 65 campagnes. Paris, Hoebeke, 1994

Serre-Floersheim, Dominique
Ainsi parle la publicité : rhétorique, stylistique,
procédés comiques. Grenoble, Éd. Jullien, 1991

Sobler, Richard J.
Comment écrire un texte qui rapporte. Bischheim,
Soridiffusion, 1988

Vidal, Florence
L'instant créatif. Paris, Flammarion, 1984

Villemus, Philippe
Comment juger la création publicitaire?
Stratégie et méthode. Paris, Les Éditions d'Organisation, 1996.

Von Oech, Roger
Créatif de choc! Paris, Albin-Michel, 1986

QUELQUES PÉRIODIQUES À LIRE À LA SALLE DE BAIN

Des périodiques qui traitent d'une variété de sujets autour de la publicité, dont les potins, en plus de consacrer régulièrement des commentaires et des articles de fond à la création. Seul *Info Presse* a un contenu majoritairement québécois.

Advertising Age, Crain Communications Inc., 740 Rush Street, Chicago, Illinois, 60611-2590

Info Presse, Les Éditions Info Presse Inc., 4316, boul. St-Laurent, bureau 400, Montréal H2W 1Z3

Marketing, Éditions Maclean Hunter, 777 Bay Street, Toronto, M5W 1A7

Stratégie, Reed Business Publishing, Groupe Stratégie, Nanterre

Strategy, Brunico Communications, 366 Adelaide Street West, Toronto M5V 1R9

ET DES TROUVAILLES SUR INTERNET

L'Association des agences de publicité du Québec
http://aapq.qc.ca/

L'hebdomadaire de la publicité *Advertising Age*
http://www.adage.com/

Le Musée de la publicité de France
http://www.ucad.fr/pub/index1.html

Le magazine de l'anti-publicité
http://www.adbusters.org/adbusters/

Un périodique pour la défense du consommateur
http://web.idirect.com/~bernatch/boycott.htm

Le monde de la pub par l'Université du Texas
http://www.utexas.edu/coc/adv/world/

Annonces publicitaires à voir
http://www.utexas.edu/coc/adv/world/AW100.html

Les meilleures cyberpubs
http://www.pscentral.com/

Des causeries électroniques sur la pub
http://www.o-a.com/

GLOSSAIRE

Affichage sauvage
Assaut des palissades de chantier de construction à des fins d'affichage.

Annonceur
Organisation qui paie pour la publicité.

Axe de communication
Parmi un ensemble d'arguments rationnels ou affectifs, le choix du plus pertinent pour la motivation des cibles (et en fonction de l'objectif) constitue l'axe.

Brainstorming
Technique de déclenchement d'idées fréquemment utilisée en création publicitaire; certains ont traduit par *remue-méninges*.

Catalyseur
Procédé utilisé pour accélérer le processus de création.

Commandite
Entente entre les organisateurs d'un événement sportif ou culturel et des annonceurs en vertu de laquelle les organisateurs assurent une visibilité à l'annonceur en échange de sommes convenues.

Communication de masse
Cette partie du monde de la communication qui se fait à travers les mass-médias (qui vise donc de grands groupes humains).

Encart
Élément publicitaire qu'on insère dans une publication.

Épuration publicitaire
Élimination des éléments superflus d'une publicité afin de maximiser son impact.

Euphonie
Harmonie de sons qui se succèdent dans un mot ou une phrase.

Figure de rhétorique ou figure de style
Pour des raisons d'efficacité persuasive, manière de dire indirectement ce qui pourrait être dit directement. Ex. : rime, répétition, analogie, etc.

Iconème
Entité visuelle minimale et significative participant à la construction d'une image.

Mandat
Tâche confiée à un professionnel.

Média
Support utilisé pour la diffusion d'un message. Ex. : télévision, quotidien, magazine.

Mix communicationnel
Ensemble des paramètres relatifs à l'élaboration d'une campagne publicitaire. Ex. : clientèle cible, choix des médias, objectif de communication.

Multidisciplinaire
Qui regroupe plusieurs domaines, plusieurs spécialités.

Multimédias
Une campagne multimédias est une campagne publicitaire qui utilise plusieurs supports pour diffuser son message.

niveau de rétention d'une annonce

Capacité d'un message de s'incruster dans la mémoire du consommateur.

pensée latérale

Technique de déclenchement d'idées utilisée en création publicitaire qui consiste à établir une chaîne par association mentale.

positionnement

Personnalité d'un produit décidée en fonction de l'environnement commercial (historique de la marque, cibles, concurrents, etc.).

quadrichromie

Procédé d'impression permettant de reproduire une infinité de couleurs à partir des quatre couleurs de base que sont les cyan, magenta, jaune et noir.

redondance

Façon de s'exprimer où l'on dit plusieurs fois la même chose sous des formes variées.

remote

Intervention publicitaire dont l'action se déroule en direct de chez l'annonceur pour inviter les gens à se rendre sur les lieux.

teaser

Premier temps d'une publicité en deux temps qui consiste à intriguer et surprendre le consommateur souvent sans dévoiler l'identité de l'annonceur.

Zoom média

Média d'affichage visant les 18-34 ans et placé entre autres dans les salles de toilette d'établissements publics.

INDEX

Achevé d'imprimer
en août 1997

**2000 exemplaires tirés en Accent Opaque 140M
sur les presses lithographiques de Imprimerie Gagné
(membre de Transcontinental) constituent l'édition
originale.**

Claude Cossette et Francis Masse sont interpellés par les nouvelles tech-
nologies informatiques qui permettent de faire évoluer le savoir-faire dans
les communications graphiques et facilitent ainsi la diffusion des nouveaux savoirs; ils ont structuré un projet de recherche qui visait à prouver
que l'on peut produire un livre qui a une apparence proche de celle que
permettent les moyens industriels de production, mais de coûts modiques
rendus possibles par les équipements informatiques «grand public». Ce
livre est le résultat de leurs recherches.

Le Québec est un marché qui ne permet que de petits tirages, donc des
moyens de production légers. Cossette & Masse croient que «l'infographie
grand public» permettra désormais aux éditeurs de produire pour le
marché québécois des livres comparables à ce que les éditeurs des grands
marchés peuvent se permettre.

Images photographiées sur diapositives, numérisées et archivées sur
procédé «grand public» PhotoCD de Kodak;
Production de fichiers Photoshop 3.0 Eps-Dcs en format traitable par
l'imageuse au moyen du filtre PhotoCD Acquire Module 2.2 de Kodak;
Mise en page réalisée sur QuarkXpress 3.31;
Épreuvage sur LaserWriter 630 Pro;
Transport des documents de 1.9 gigas sur cartouches SyQuest EZ 135;
Production des films sur imageuse Linotronic 330 Rip 50 de Linotype;
Archivage sur ruban Dat 4mm.

3

Les styles dans la
communication visuelle
par C. Cossette et C. Simard

Un livre illustré de plus de 125 images couleur.
Une mini-encyclopédie.

4

Comment faire
des images qui parlent
par Luc St-Hilaire

Un livre illustré de plus de 200 images couleur.
Un outil pratique.

Titres en chantier

Comment réaliser un imprimé avec un petit budget
Comment on fait de la publicité télévisée
L'illustration... pour charmer
Comment se constituer une banque d'images
L'image d'entreprise, outil de réussite
Le dictionnaire de la communication visuelle
La calligraphie, de l'école à la publicité
Des images... juste pour rire
L'affiche: l'art immédiat
La photographie pour prouver
La typographie et l'ordinateur
La mise en pages pour tous
L'enseigne, c'est aussi de la publicité
25 ans de graphisme québécois

... et d'autres tout aussi stimulants.

Réservez dès
maintenant votre
exemplaire chez votre
libraire !

Chaque livre
comprend cinq
parties :

PARTIE 1

Qu'est-ce que...
Un texte abondamment illustré, qui
utilise un langage simple et concret.

PARTIE 2

Comment...
Une « démonstration » où l'on
prouve, par des images conçues
à cette fin, combien pertinent est
le propos du livre dans le domaine
de la communication de masse
(série de photos avec bas de
vignettes explicatifs d'une
cinquantaine de mots).

PARTIE 3

Des réalisations contemporaines
Un riche portfolio d'œuvres où
l'on fait ressortir le rôle joué par
ces images par rapport au sujet
du livre.

PARTIE 4

Les maîtres...
En une dizaine de pages, la
biographie de spécialistes,
québécois pour la plupart, qui
ont marqué le domaine couvert
par le livre.

PARTIE 5

Des ressources pour en savoir plus
Une bibliographie sélective sur
le sujet et un carnet d'adresses.

Les titres de la collection *Communication visuelle* visent à couvrir tout le savoir utile aux professionnels et à toutes les personnes qui ont besoin de communiquer avec des images. Aussi bien dire tout le monde ! Au fil du temps, la collection deviendra une petite encyclopédie sur la communication visuelle.